JN027044

いちばん
わかりやすい 運転免許

認知機能検査

対策ブック

成美堂出版

ご本人、ご家族の方の安心のために本書をお役立てください

　はじめまして。医師の赤畑正樹です。出身は脳神経外科で、現在、認知症サポート医・地域かかりつけ医として、地元の診療所で「もの忘れ外来」を開設しています。

　運転免許証をお持ちの75歳以上の方は、免許証の更新時に認知機能検査を受けなければなりません。これは、高齢の方の認知機能の衰えによる事故を未然に防ぐために行われるものです。認知症サポート医として日々、患者さんと接していて、年齢からくる認知機能の衰えは多くの方に見られる、ある意味当たり前のことだと感じています。ただ、車を運転するには、必要な能力を備えていなければなりません。認知機能検査によって車を運転することに問題がないとわかれば、ご本人はもちろん、ご家族の方も安心されると思います。

　仮に認知機能の低下を指摘された場合でも、それは認知機能の改善、および認知症への進行抑制に取り組むよいきっかけであると前向きにとらえましょう。多くの場合、何も対策を講じなければ認知機能低下は進行していきます。皆さんのお近くにも、相談できる認知症サポート医がきっといるはずです。ぜひ、相談してください。

　本書では、検査の流れを順を追ってわかりやすく解説しています。また、実際の検査に出る問題形式にのっとり、具体的に解き方のポイントをアドバイスしています。

　本書によって、認知機能検査でよい結果が得られることを祈念しております。

監修者
認知症サポート医
赤畑 正樹
医療法人社団 細田診療所院長

「いちばんわかりやすい 運転免許 認知機能検査 対策ブック」 もくじ

※本書の情報は、原則として2022（令和４）年５月末日のものです。

本書の見方・活用法

Part1 認知機能検査の概要を解説します

認知機能検査の内容を順を追って解説！

本文は必要最小限の内容をコンパクトに解説！

表やチャート図でわかりやすく解説！

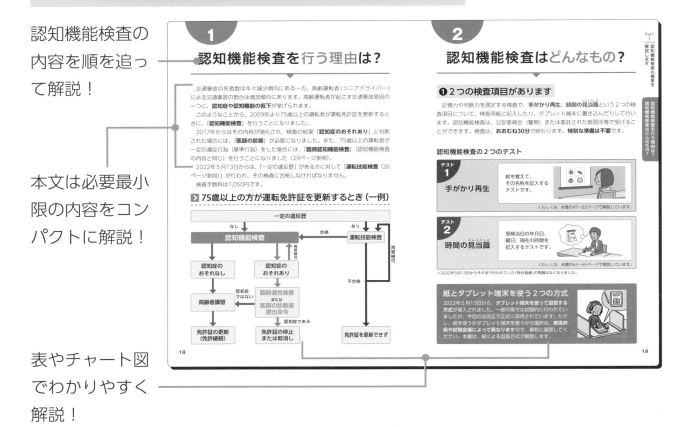

Part2 認知機能検査の流れをくわしく解説します

検査の流れをマンガで解説。どのように行われるかがリアルにわかる！

検査会場の様子を具体的に再現。はじめての人でも安心！

会場で検査員が話す言葉をそのまま再現！

問題1 手がかり再生

問題2 時間の見当識

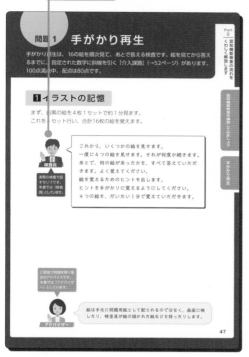

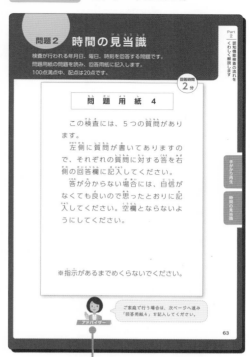

本書のアドバイザーが
ポイントをアドバイス！

認知機能検査の問題を解いてみましょう

検査問題を3回
分掲載。
時間を守って解
いてみましょ
う！

本書のアドバイザーのアドバイスです！

認知機能検査の案内が届いたら・・・

▶ 認知機能検査を受検するまでの流れ

認知機能検査を受ける方は、まず運転免許の更新はがきで通知があります。検査結果を受け取るまでの手順を確認しましょう。

1 案内のはがきが届く

対象となる方には、運転免許証の更新期間が満了する日の6か月前までに、警察から認知機能検査と高齢者講習の通知が届きます。

2 会場を予約する

はがきに書かれた運転免許試験場（運転免許センター）などに検査の予約をします。電話またはパソコンなどで予約する方法があります。

※「運転技能検査」（26ページ参照）の対象者（一定の
　違反歴のある人）には、事前に通知が届きます。

5 検査室に入室する

検査をする会場に入ったら、検査員から事前の説明を受けます。

6 検査を受ける

「手がかり再生」「時間の見当識^{けんとうしき}」の2つの検査項目について検査します。時間は約30分です。

3 検査に必要な物を用意する

検査のお知らせ（通知書）、運転免許証、認知機能検査手数料（1,050円）、筆記用具（鉛筆や黒のボールペンなど）を用意します（必要な方は眼鏡や補聴器など）。

4 予約した日に会場へ行く

あらかじめ会場に行くルートや時間を確認しておきましょう。

7 検査の採点が行われる

点数に応じて2種類の判定結果が出されます。

8 検査結果を受け取る

検査結果は、その場でまたは後日書面などで通知されます。

▶ 免許更新時の検査の流れ（一例）

※検査を受ける順番は、予約状況によって一律ではありません。

70歳以上の方が免許の更新を受ける場合の流れです。70〜74歳の方と75歳以上の方とでは、検査の流れが大きく変わります。

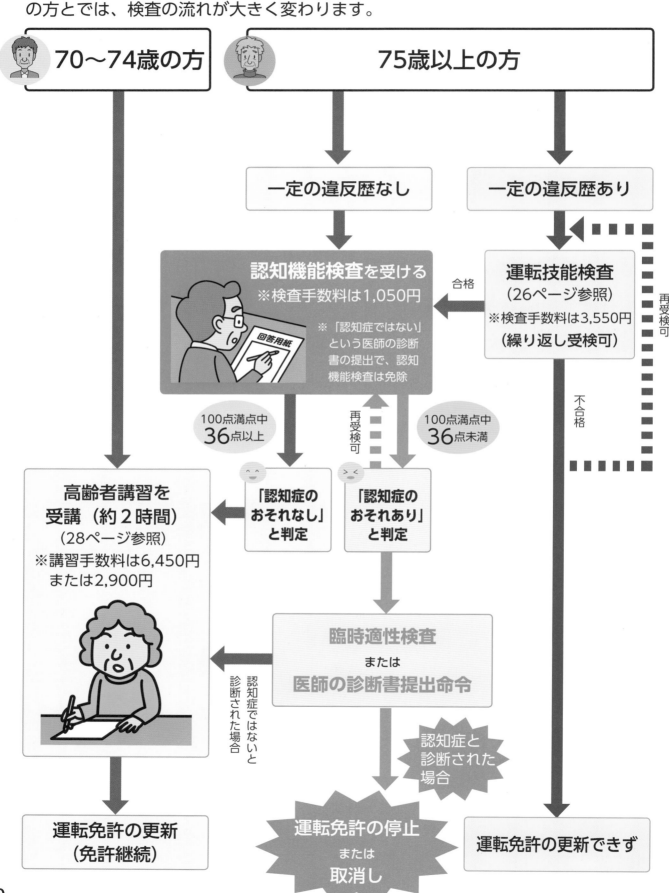

70〜74歳の方

75歳以上の方

一定の違反歴なし

一定の違反歴あり

認知機能検査を受ける
※検査手数料は1,050円

※「認知症ではない」という医師の診断書の提出で、認知機能検査は免除

回答用紙

合格

運転技能検査
（26ページ参照）
※検査手数料は3,550円
（繰り返し受検可）

再受検可

100点満点中
36点以上

再受検可

100点満点中
36点未満

不合格

高齢者講習を受講（約2時間）
（28ページ参照）
※講習手数料は6,450円または2,900円

「認知症のおそれなし」と判定

「認知症のおそれあり」と判定

臨時適性検査
または
医師の診断書提出命令

認知症ではないと診断された場合

認知症と診断された場合

運転免許の更新
（免許継続）

運転免許の停止
または
取消し

運転免許の更新できず

▶ 認知機能検査について教えてください[Q&A]

運転免許更新の案内が届いて、はじめて認知機能検査のことをお知りになる方も多いと思います。検査の概要について、Q&Aでお答えします。

▼認知機能検査について

Q1 ▶ 2022年5月13日施行の法改正で何が変わったのですか？

A 法改正で変わったことは、おもに次のような点です。
- 従来行われていた**「時計描画」**がなくなり、**検査の順番**が変わりました。
- 検査の判定結果が、3段階から**「認知症のおそれあり」**と**「認知症のおそれなし」**の2つになりました。
- **検査手数料**が見直しされました。

Q2 ▶ 認知機能検査を受けるのは、なぜ75歳からなのですか？

A 75歳以上の運転者の**死亡事故件数が74歳以下の約2.4倍**（2018年データ）であるなど、75歳以上の年齢層にかかわる事故情勢が厳しいものであり、また認知症の有病率は加齢とともに増加していることが理由です。

▼免許証の更新と認知機能検査について

Q3 運転免許証の更新をしたいのですが、認知機能検査を受けなくても更新できますか？

A 認知症に関する医師の診断書（認知症ではない）を提出すれば、認知機能検査が免除されます。

Q4 長年、無事故・無違反ですが、それでも認知機能検査を受けなければならないのですか？

A 免許証の更新期間が満了する日における年齢が**75歳以上の方は、たとえ長年、無事故・無違反でも、運転免許証の更新の前に認知機能検査を受ける必要**があります。

▼認知機能検査の受検について

Q5 認知機能検査は、何回でも受けることができますか？

A 不合格だった場合、検査は再度受けることができますが、**受けるたびに手数料**がかかります。検査手数料は1,050円です。

Q6 自分の住所地とは違う都道府県で実施されている認知機能検査を受けることはできますか？

A お住まいの都道府県以外では、原則として検査を受けることはできません。

Q7 認知機能検査の受検期間（更新期間が満了する日の6か月前）以外で、検査を受けることはできますか？

A 検査の受検期間以外でも、検査を受けることはできます。ただし、75歳以上の方が免許証を更新するときの検査は、**更新期間が満了する日の前から6か月以内**に受ける必要があります。

Q8 75歳になっていませんが、認知機能検査を受けることはできますか？

A 都道府県公安委員会が行う検査を受けることはできませんが、検査の問題は、警察のホームページで公開されていたり、運転免許の窓口で手に入れることができますので、参考にしてください。

▼認知機能検査の結果の通知について

Q9 認知機能検査の結果は教えてもらえますか？

A 検査**当日書面で通知**される場合と、**後日書面で通知**される場合があります。

Q10 認知機能検査の結果が出たのですが、このあとの流れを教えてください。

A 検査の結果によって、今後の流れは異なります。**検査の結果は2つに分類**されます。くわしくは10・20ページをご覧ください。

Q11 認知機能検査の結果、「認知症のおそれあり」とされたのですが、免許証が更新できなくなったり、免許を取消されたりするのですか？

A 「認知症のおそれあり」とされても、免許証の更新をすることはできますし、ただちに免許が取消されるわけではありません。**検査後の臨時適性検査**（Q14参照）などで**認知症ではないと診断されれば更新は可能**です。

Q12 認知機能検査の結果、「認知症のおそれあり」とされたのですが、認知症ではないのですか。また、将来、認知症になるのですか？

A 認知機能検査は簡易に確認するもので、医学的な認知症の診断を行うものではありません。また、将来を予測するものでもありません。**検査後の臨時適性検査**（Q14参照）などで判断されます。

Q13 認知機能検査の結果、「認知症のおそれなし」と判定されましたが、これは「自動車を運転しても大丈夫である」ということですか？

A 認知機能検査は、受検者の記憶力・判断力の状況を確認するための簡易な手法であり、受検者の運転能力を確認するものではありません。

▼**臨時適性検査・診断書提出命令について**

Q14 **臨時適性検査**とは、どのような検査ですか？

A 公安委員会（警察）が、免許を持っている人が自動車等の運転に支障を及ぼすおそれがある一定の病気等にかかっていると疑われる理由があるときに、臨時に行う検査です。検査は、専門的な知識を有すると公安委員会が認める医師の診断によって行われます。

Q15 医師の診断書提出命令を受けた場合、診断書はどこで書いてもらえばよいのですか？

A 認知症に関し専門的な知識を有する医師等の診断書を提出してもらうことになります。

Q16 認知機能検査の結果、「認知症のおそれあり」とされ、運転することが不安なのですが、どこに相談したらいいのですか？

A 運転に不安がある方などの相談窓口として、運転免許試験場（運転免許センター）などで運転適性相談を行っています。

Q17 私の父（母）は認知症です。免許を取消してほしいのですが、どこに相談すればいいですか？

A 運転免許試験場（運転免許センター）の運転適性相談窓口や、お近くの警察署に相談してください。

Q18 検査問題は、都道府県によって異なりますか？

A 認知機能検査の問題は全国共通で、どこで受けても同じ問題です。なお、**手がかり再生で覚えるイラストは、パターンA～Dのどれか1パターンが出ます。** この本の22ページで説明していますので、確認してください。

Q19 運転免許証の自主返納によって**運転経歴証明書**の交付を受けた人が、公共機関の運賃の割引等のサービスを受けられる場合があると聞きました。くわしいことはどこに聞けばいいですか？

A 運転免許試験場（運転免許センター）や警察署にお問い合わせください。

Q20 認知機能検査には、どうやったら合格できますか？

A 100点満点中、「手がかり再生」の配点が80点、「時間の見当識」の配点が20点です。「時間の見当識」は比較的簡単ですので、まず全問正解の20点を目指しましょう。ここで20点取れれば、「手がかり再生」であと16点取れば36点となり、合格できます。たとえば、ヒントなしで4つのイラストの名称を答えられれば20点で合格となります。

● 免許証の更新手続き

75歳以上の方がお持ちの免許証を更新するときは、事前に**認知機能検査**と**高齢者講習**を受けなければなりません。そして、更新手続きのときに「**認知機能検査結果通知書**」と「**高齢者講習修了証明書**」を持参します。さらに、「**運転技能検査**」を受けた人は、「**運転技能検査受検結果証明書**」も必要です。

更新できる期間は、免許証の有効期間が満了する直前の誕生日の前後各1か月の計2か月間となります。誕生日の40日ほど前に「**更新のお知らせ**」のはがきが郵送されますので、内容を確認してください。

▶ 運転免許証の更新手続きの流れと持参するもの

❶「更新のお知らせ」のはがきが届く

❷ 更新期間に運転免許試験場などに行く

更新期間

> 免許証の有効期間が満了する直前の誕生日の前後各1か月の2か月

更新する場所

> 各都道府県の運転免許試験場や指定警察署など

持参するもの

> 1 「更新のお知らせ」のはがき
> 2 運転免許証
> 3 更新手数料（2,500円）
> 4 認知機能検査結果通知書
> 5 高齢者講習修了証明書
> 6 運転技能検査受検結果証明書（該当者のみ）

❸ 更新手続きをする（更新された免許証を受け取る）

● 運転免許証の自主返納について

運転免許証の自主返納制度は、主に「高齢のため運転が不安」という方が運転免許証を自主的に返納できる制度です。免許返納後は、**「運転経歴証明書」**の交付を受けることができます。運転経歴証明書は、公的な身分証明書として使えるだけでなく、所持していればバスやタクシーなどの乗車運賃割引など、さまざまな特典があります（詳細は「高齢運転者支援サイト」のホームページを参照）。

高齢運転者支援サイト　http://www.zensiren.or.jp/kourei/
※運転免許証の自主返納の相談は、各都道府県の警察にお願いします。

▶ 返納手続きの方法

運転免許証を返納する方

▼だれが	▼どこに	▼必要なもの
運転免許証の有効期間内に原則として本人	運転免許試験場（運転免許センター）または警察署	運転免許証、印鑑（一部の都道府県）※手数料なし

運転経歴証明書を申請する方　※免許証返納後5年以内なら申請可能

▼だれが	▼どこに	▼必要なもの
運転免許証の有効期間内に原則として本人	運転免許試験場（運転免許センター）または警察署	運転経歴証明書交付申請書（運転免許試験場または警察署にあります）、手数料（1,100円）、印鑑（一部の都道府県）、申請用写真（タテ3.0cm×ヨコ2.4cm、申請前6か月以内に撮影したもので無帽、正面、上三分身、無背景）

※申請用写真は、都道府県や申請場所によって持参が必要かが異なります。

Part 1

認知機能検査の概要を解説します

この Part では、認知機能検査とはどのようなものか、どんな問題が出るのかなど、概要を解説しています。また、検査のあとに行われる高齢者講習についても触れています。

おおまかな内容を理解して、検査に臨む準備をしておきましょう。

1 認知機能検査を行う理由は？

　交通事故の死者数は年々減少傾向にある一方、高齢運転者（シニアドライバー）による交通事故の割合は増加傾向にあります。高齢運転者が起こす交通事故原因の一つに、**認知症や認知機能の低下**が挙げられます。

　このようなことから、2009年より75歳以上の運転者が運転免許証を更新するときに、**「認知機能検査」**を行うことになりました。

　2017年からはその内容が強化され、検査の結果**「認知症のおそれあり」**と判断された場合には、**「医師の診断」**が必要になりました。また、75歳以上の運転者が一定の違反行為（基準行為）をした場合には、**「臨時認知機能検査」**（認知機能検査の内容と同じ）を行うことになりました（29ページ参照）。

　2022年5月13日からは、「一定の違反歴」がある方に対して**「運転技能検査（26ページ参照）」**が行われ、その検査に合格しなければなりません。

　検査手数料は1,050円です。

▶ 75歳以上の方が運転免許証を更新するとき（一例）

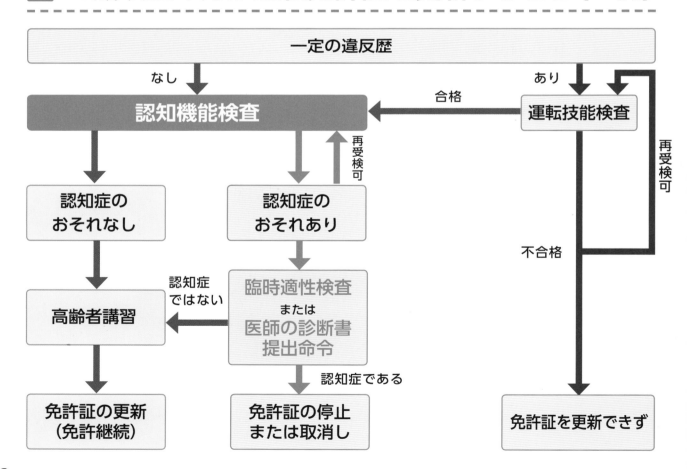

2 認知機能検査はどんなもの？

❶ ２つの検査項目があります

　記憶力や判断力を測定する検査で、**手がかり再生**、**時間の見当識**（けんとうしき）という２つの検査項目について、検査用紙に記入したり、タブレット端末に書き込んだりして行います。認知機能検査は、公安委員会（警察）または委託された教習所等で受けることができます。検査は、**おおむね30分**で終わります。**特別な準備は不要**です。

認知機能検査の２つのテスト

テスト 1 手がかり再生

絵を覚えて、
その名称を記入する
テストです。

くわしくは、本書の47〜62ページで解説しています。

テスト 2 時間の見当識（けんとうしき）

受検当日の年月日、
曜日、現在の時間を
記入するテストです。

くわしくは、本書の63〜65ページで解説しています。

※2022年5月13日からそれまで行われていた「時計描画」の問題はなくなりました。

紙とタブレット端末を使う２つの方式

2022年5月13日から、**タブレット端末を使って回答する方式**が導入されました。一部の県では試験的に行われていましたが、今回の法改正で正式に採用されています。ただし、紙を使うかタブレット端末を使うかの選択は、**都道府県や試験会場によって異なります**ので、事前に確認してください。本書は、紙による回答方式で解説します。

❷判定結果は2つに分類されます

　検査終了後に採点が行われ、その点数に応じて、「記憶力・判断力が低くなっています（認知症のおそれあり）」、「認知症のおそれがある基準には該当しません（認知機能低下のおそれなし）」という2つの判定結果が出されます。

　検査結果は、その場でまたは後日、書面（はがき等も含む）にて通知されます。

認知機能検査2つの判定結果

判定1	判定2
認知症のおそれあり	認知症のおそれなし
（記憶力・判断力が低くなっています）	（認知症のおそれがある基準には該当しません）

「認知機能検査結果通知書」（2タイプ）

判定結果は、以下2種類の書面によって通知されます。

判定1

認知機能検査結果通知書

住　　所
氏　　名
生年月日
検査年月日　　　総合点 □ 点
検査場所　　　　　　（A　　点）
　　　　　　　　　　（B　　点）

　記憶力・判断力が低くなっており、認知症のおそれがあります。

　記憶力・判断力が低下すると、信号無視や一時不停止の違反をしたり、進路変更の合図が遅れたりする傾向がみられます。
　今後の運転について十分注意するとともに、医師やご家族にご相談されることをお勧めします。
　また、臨時適性検査（専門医による診断）を受け、又は医師の診断書を提出していただくお知らせが公安委員会からあります。
　この診断の結果、認知症であることが判明したときは、運転免許の取消し、停止という行政処分の対象となります。

運転免許証の更新手続の際は、この書面を必ず持参してください。

　　　　　　　年　　　月　　　日

　　　　　　　　　　　　公安委員会　印

判定2　合格の場合は点数は示されません。

認知機能検査結果通知書

住　　所
氏　　名
生年月日
検査年月日
検査場所

「認知症のおそれがある」基準には該当しませんでした。

　今回の結果は、記憶力、判断力の低下がないことを意味するものではありません。
　個人差はありますが、加齢により認知機能や身体機能が変化することから、自分自身の状態を常に自覚して、それに応じた運転をすることが大切です。
　記憶力・判断力が低下すると、信号無視や一時不停止の違反をしたり、進路変更の合図が遅れたりする傾向がみられますので、今後の運転について十分注意してください。

運転免許証の更新手続の際は、この書面を必ず持参してください。

　　　　　　　年　　　月　　　日

　　　　　　　　　　　　公安委員会　印

判定１・２の結果通知書の裏面です（共通）。

（裏面）

認知機能検査の判定や計算等について

総合点による判定

36点未満	記憶力・判断力が低くなっており、認知症のおそれがある。

　判定の基準となる点数（36点）は、認知機能検査の結果と認知症専門医による診断結果との関係を統計的に分析して定められたものです。
　認知機能検査は、あなたの記憶力、判断力の状況を簡易な検査によって確認するもので、認知症の診断を行うものではありません。
　したがって、総合点が36点未満であったとしても、直ちに認知症であることを示すものではありません。また、36点以上であったとしても、必ずしも認知症でないことを示すものではありませんので、記憶力、判断力に不安のある方は、お近くの医療機関等で相談されることをお勧めします。
　認知症のおそれがあるとされても、免許証の更新をすることはできますし、直ちに免許が取り消されるわけではありません。ただし、警察から連絡があり、医師の診断を受けることになります。
　認知症と診断された場合は、免許が取り消され、又は停止されます。今回の検査の結果について、御質問のある方は、認知機能検査を行ったところやお住まいの都道府県警察の運転免許担当課までお問い合わせください。

総合点の計算

　総合点は、次の計算式に当てはめて算出しています。
　正しい回答が多くなるにつれて総合点が高くなります。
　総合点 ＝ 2.499×Ａ＋1.336×Ｂ
　Ａは、記憶した16種類のイラストの名前が正しく回答されているかどうかについての点数です。正しく回答すると点数がつきます。
　Ｂは、「年」、「月」、「日」、「曜日」、「時刻」が正しく回答されているかどうかについての点数です。正しく回答すると点数がつきます。

　認知機能検査の結果、「記憶力・判断力が低くなっており、認知症のおそれがあります」と判断された場合は、警察から連絡があり、臨時適性検査（13ページQ14参照）を受けるか、医師の診断書を提出することになります。

❸高齢者講習が行われます
（28ページ参照）

　認知機能検査で「認知症のおそれなし」と判定された方は、高齢者講習を受講します。高齢者講習では、講義・運転適性検査器材による指導・実車による指導といった、わかりやすい講習が行われます（講習内容は28ページ参照）。

3 認知機能検査は2つに分けられます

認知機能検査は、運転能力に関する認知機能を測定するための検査です。内容は、「**手がかり再生**」「**時間の見当識**」の２つの検査項目があり、このうち「**手がかり再生**」は、イラストの記憶、介入課題、自由回答、手がかり回答の4つがあります。

❶ 手がかり再生

1 イラストの記憶

4つの絵が描かれた紙または画面を見て、ヒントを手がかりにして、１分間で覚えます。同じ作業を4回繰り返し、合計16の絵を覚えます。その後、別の課題（介入課題）を行ったあと、記憶している絵を、最初はヒントなしに回答し（自由回答）、その後ヒントをもとに回答します（手がかり回答）。

1 手がかり再生のイラストのパターン（A〜Dの4パターン）

手がかり再生のイラストは16の絵を見て覚えますが、**A〜Dの4パターンしかありません。4つのパターンのうち、どれか１つのパターンの絵が出題されます。**

		ヒント	パターンA	パターンB	パターンC	パターンD
1枚目	1	戦いの武器	大砲	戦車	機関銃	刀
	2	楽器	オルガン	太鼓	琴	アコーディオン
	3	体の一部	耳	目	親指	足
	4	電気製品	ラジオ	ステレオ	電子レンジ	テレビ
2枚目	5	昆虫	テントウムシ	トンボ	セミ	カブトムシ
	6	動物	ライオン	ウサギ	牛	馬
	7	野菜	タケノコ	トマト	トウモロコシ	カボチャ
	8	台所用品	フライパン	ヤカン	ナベ	包丁
3枚目	9	文房具	ものさし	万年筆	はさみ	筆
	10	乗り物	オートバイ	飛行機	トラック	ヘリコプター
	11	果物	ブドウ	レモン	メロン	パイナップル
	12	衣類	スカート	コート	ドレス	ズボン
4枚目	13	鳥	にわとり	ペンギン	クジャク	スズメ
	14	花	バラ	ユリ	チューリップ	ヒマワリ
	15	大工道具	ペンチ	カナヅチ	ドライバー	ノコギリ
	16	家具	ベッド	机	椅子	ソファー

① 「手がかり再生(イラストの記憶)」の絵(下記はパターンA)

| 大砲 | オルガン | テントウムシ | ライオン | ものさし | オートバイ | にわとり | バラ |
| 耳 | ラジオ | タケノコ | フライパン | ブドウ | スカート | ペンチ | ベッド |

② 介入課題

　数字がたくさん書かれた表に、検査員が指示した数字に斜線(/)を引いていく問題です。手がかり再生の出題から回答までに一定の時間を空けることが目的の検査で、この課題自体に配点はありません。

② 「手がかり再生(介入課題)」の問題用紙、回答用紙

問 題 用 紙 1

　これから、たくさん数字が書かれた表が出ますので、私が指示をした数字に斜線を引いてもらいます。
　例えば、「1と4」に斜線を引いてくださいと言ったときは、

と例示のように順番に、見つけただけ斜線を引いてください。

※指示があるまでめくらないでください。

回 答 用 紙 1

9	3	2	7	5	4	2	4	1	3
3	4	5	2	1	2	7	2	4	6
6	5	2	7	9	6	1	3	4	2
4	6	1	4	3	8	2	6	9	3
2	5	4	1	3	7	9	6	8	
2	6	5	9	6	8	4	7	1	3
4	1	8	2	4	6	7	1	3	9
9	4	1	6	2	3	2	7	9	5
1	3	7	8	5	6	2	9	8	4
2	5	6	9	1	3	7	4	5	8

※指示があるまでめくらないでください。

3 自由回答

　介入課題の前に見た16の絵を、思い出して回答する検査です。この時点で絵を見ることはできません。

3「手がかり再生（自由回答）」の問題用紙、回答用紙

<table>
<tr><td>

問題用紙 2

　少し前に、何枚かの絵をお見せしました。

　何が描かれていたのかを思い出して、できるだけ全部書いてください。

※指示があるまでめくらないでください。

</td><td>

回答用紙 2

1.	9.
2.	10.
3.	11.
4.	12.
5.	13.
6.	14.
7.	15.
8.	16.

※指示があるまでめくらないでください。

</td></tr>
</table>

4 手がかり回答

　今度は同じ16の絵を、ヒントを手がかりに思い出して回答する検査です。

4「手がかり再生（手がかり回答）」の問題用紙、回答用紙

<table>
<tr><td>

問題用紙 3

　今度は回答用紙に、ヒントが書いてあります。

　それを手がかりに、もう一度、何が描かれていたのかを思い出して、できるだけ全部書いてください。

※指示があるまでめくらないでください。

</td><td>

回答用紙 3

1. 戦いの武器	9. 文房具
2. 楽器	10. 乗り物
3. 体の一部	11. 果物
4. 電気製品	12. 衣類
5. 昆虫	13. 鳥
6. 動物	14. 花
7. 野菜	15. 大工道具
8. 台所用品	16. 家具

※指示があるまでめくらないでください。

</td></tr>
</table>

❷ 時間の見当識

検査実施時の年月日、曜日、時刻を回答する問題です。現在のご自身およびご自身が置かれている日時等の状況を、正しく認識しているかについての検査です。

「時間の見当識」の問題用紙、回答用紙

問 題 用 紙 4

この検査には、5つの質問があります。

左側に質問が書いてありますので、それぞれの質問に対する答を右側の回答欄に記入してください。

答が分からない場合には、自信がなくても良いので思ったとおりに記入してください。空欄とならないようにしてください。

※指示があるまでめくらないでください。

回 答 用 紙 4

以下の質問にお答えください。

質　問	回　答	
今年は何年ですか？		年
今月は何月ですか？		月
今日は何日ですか？		日
今日は何曜日ですか？		曜日
今は何時何分ですか？	時	分

25

4 運転技能検査について解説します

2022年5月13日より、高齢者の運転免許証の更新時の手続きにおいて、**新たに運転技能検査が導入**されました。75歳以上の方で過去3年間に**一定の違反歴**がある人については、実際に自動車を運転する運転技能検査に合格しなければ、運転免許証の更新を受けることができません。検査手数料は3,550円です。

75歳以上の人が運転免許の更新を受けようとする場合、免許証の有効期間が満了する日の直前の誕生日の160日前の日からさかのぼって3年の間に、大型自動車、中型自動車、準中型自動車、普通自動車を運転していて、以下の違反行為を行った人が対象になります（令和4年10月12日以降に75歳以上の誕生日を迎える方に適用）。**対象の方には、事前にはがきによる通知がきます。**

不合格でも何度でも受検できます（そのつど検査手数料3,550円かかります）が、免許の更新期間内に認知機能検査や高齢者講習を終わらせなければなりません。

運転技能検査の対象になる11種類の違反行為

	違反行為	
1	信号無視	例 赤信号を無視
2	通行区分違反	例 逆走、歩道を通行
3	通行帯違反等	例 理由なく追い越し車線を走り続ける
4	速度超過	例 制限速度オーバー
5	横断等禁止違反	例 転回禁止の道路で転回
6	踏切不停止等・遮断踏切立入り	例 踏切の遮断機が閉じている踏切内に進入
7	交差点右左折方法違反等	例 徐行せずに右左折
8	交差点安全進行義務違反等	例 交差点を直進する対向車両があるとき、それを妨害して交差点を右折
9	横断歩行者等妨害等	例 歩行者が横断歩道を通行しているとき、一時停止せずに横断歩道を通行
10	安全運転義務違反	例 ハンドル操作を誤った、必要な注意をすることなく漫然と運転
11	携帯電話使用等	例 運転中、携帯電話で通話

運転技能検査の内容と合格基準

普通自動車で教習所等のコースを運転して、以下の課題を走行します。100点満点中、**第二種免許の所有者は80点以上、それ以外の方は70点以上で合格**となります。

1	指示速度による走行	内容	指示された速度で安全に走行できるか
		減点	速すぎたり遅すぎたりした場合は −10点
2	一時停止	内容	道路標識等で一時停止が指定された交差点で、停止線の手前で確実に停止できるか
		減点	停止線の手前で停止できなかった場合は、その態様に応じ −10点 または −20点
3	右折・左折	内容	右左折時に、道路の中央からはみ出して反対車線に入ったり、脱輪したりせずに、安全に曲がることができるか
		減点	車体が中央線からはみ出した場合は、その程度に応じて −20点 または −40点
4	信号通過	内容	赤信号に従って停止線の手前で確実に停止できるか
		減点	停止線の手前で停止できなかった場合は、その態様に応じ −10点 または −40点
5	段差乗り上げ	内容	段差に乗り上げたあと、ただちにアクセルペダルからブレーキペダルに踏みかえて安全に停止できるか
		減点	段差に乗り上げたあと、適切に停止できない場合は −20点
6	その他	減点	検査中、衝突等の危険を避けるため検査員が補助ブレーキを踏むなどした場合は −30点

指示速度による走行

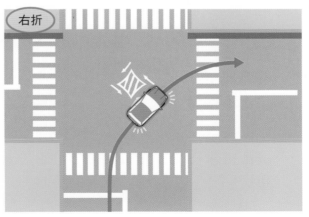

右折

5 高齢者講習について解説します

　75歳以上の方が免許証を更新するときは、事前に**認知機能検査**と**高齢者講習**を受けなければなりません。高齢者講習は、認知機能検査の日に行われる場合と、別の日に予約を取ってから行われる場合があります。事前に確認しておきましょう。

　高齢者講習は、認知機能検査の結果にかかわらず受講しなければなりません（講習時間120分）。高齢者講習は実車による指導などはありますが、**合否の判定はありません。**※ただし、運転技能検査の受検者と保有する運転免許が二輪、原付、小型特殊、大型特殊免許のみの方は、実車による指導（下記表の3）は免除となります（講習時間60分）。

高齢者講習の講習内容（講習時間は120分）　※実車による指導免除の方は60分

高齢者講習の講習内容です（手数料は6,450円、実車による指導免除の方は2,900円）。

	講習方法	講習科目	講習細目	講習時間
1	講義	道路交通の現状と交通事故の実態	(1) 地域における交通事故情勢 (2) 高齢者の交通事故の実態 (3) 高齢者支援制度等の紹介	30分
		運転者の心構え	(1) 安全運転の基本 (2) 交通事故の悲惨さ (3) シートベルト等の着用	
		安全運転の知識	(1) 高齢者の特性を踏まえた運転方法 (2) 危険予測と回避方法等 (3) 改正された道路交通法令	
2	運転適性検査器材による指導	運転適性についての指導①	運転適性検査器材による指導	30分
3	実車による指導	運転適性についての指導②	(1) 事前説明 (2) ならし走行 (3) 課題 (4) 安全指導	60分

6 臨時認知機能検査について解説します

　75歳以上の人が免許更新以外のときに**一定の違反行為**（31ページ参照）をした場合は、**臨時認知機能検査**を受けなければなりません。

　臨時認知機能検査は、運転免許証の更新時に行われる認知機能検査と同じもので、「認知症のおそれあり」と判定された方は全員、**臨時適性検査**（13ページQ14参照）を受けるか、主治医などの診断を受けてその診断書を提出することになります。医師の診断の結果、認知症であることが判明したときは、免許の取消し等の対象になります。

　また、臨時認知機能検査で「認知症のおそれあり」という結果が出て臨時適性検査または医師の診断書提出で「認知症ではない」と診断された人のうち、前回の検査より結果が悪くなっている場合は、**臨時高齢者講習**を受けなければなりません。

臨時認知機能検査を受けなければならない場合

> 75歳以上の方が
> 一定の違反行為（基準行為）をした場合

臨時高齢者講習

▶ 臨時認知機能検査と臨時高齢者講習の流れ

75歳以上の方が免許更新以外のときに**一定の違反行為（基準行為）**をした場合に、臨時認知機能検査や臨時高齢者講習を受ける流れです。

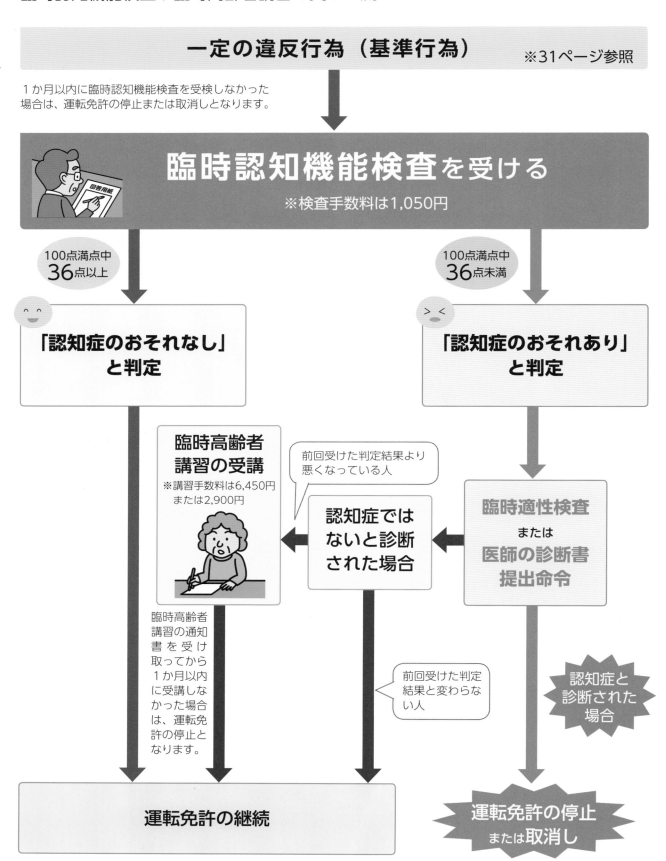

一定の違反行為（基準行為）

※31ページ参照

1か月以内に臨時認知機能検査を受検しなかった場合は、運転免許の停止または取消しとなります。

臨時認知機能検査を受ける
※検査手数料は1,050円

100点満点中 **36点以上**

100点満点中 **36点未満**

「認知症のおそれなし」と判定

「認知症のおそれあり」と判定

臨時高齢者講習の受講
※講習手数料は6,450円または2,900円

前回受けた判定結果より悪くなっている人

認知症ではないと診断された場合

臨時適性検査
または
医師の診断書提出命令

臨時高齢者講習の通知書を受け取ってから1か月以内に受講しなかった場合は、運転免許の停止となります。

前回受けた判定結果と変わらない人

認知症と診断された場合

運転免許の継続

運転免許の停止または**取消し**

7 一定の違反行為(基準行為)とは？

　臨時認知機能検査の要件となる一定の違反行為とは、**認知機能が低下した場合に起こりやすい違反行為（基準行為）**のことです。具体的には、信号無視や通行区分違反、一時不停止などが含まれます。

　一定の違反行為は、以下の18種類があります。

臨時認知機能検査の要件となる一定の違反行為

1 信号無視
例 赤信号を無視

2 通行禁止違反
例 通行禁止の道路を通行
通行止め

3 通行区分違反
例 逆走、歩道を通行
右側を通行（逆走）

4 横断等禁止違反
例 転回禁止の道路で転回
転回禁止

5 進路変更禁止違反
例 黄色の線で区画されている車道で、黄色の線を越えて進路を変更
進路変更禁止

6 遮断踏切立入り等
例 踏切の遮断機が閉じている間に踏切内に進入

7 交差点右左折方法違反
例 徐行せずに右左折
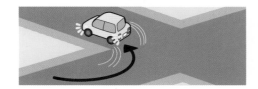

8 指定通行区分違反
例 直進レーンを通行しているとき、交差点で右折
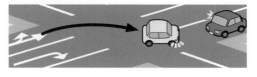

環状交差点は、車が通行する部分が円形の交差点で、標識などで車が右回りに通行することが指定されている交差点をいう。

9 環状交差点左折等方法違反

例 徐行せずに環状交差点で左折

環状交差点

10 優先道路通行車妨害等

例 交差道路が優先道路で、優先道路を通行中の車両の進行を妨害

優先道路

11 交差点優先車妨害

例 交差点を直進する対向車両があるとき、それを妨害して交差点を右折

12 環状交差点通行車妨害等

例 環状交差点内を通行する他の車両の進行を妨害

13 横断歩道等における横断歩行者等妨害

例 歩行者が横断歩道を通行しているとき、一時停止せずに横断歩道を通行

14 横断歩道のない交差点における横断歩行者妨害等

例 横断歩道のない交差点を歩行者が通行しているとき、交差点に進入して歩行者を妨害

15 徐行場所違反

例 徐行すべき場所で徐行しない

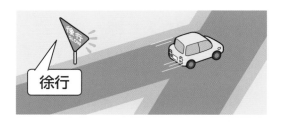

徐行

16 指定場所一時不停止等

例 一時停止せずに交差点に進入

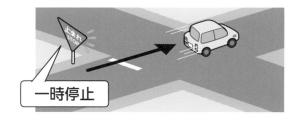

一時停止

17 合図不履行

例 右左折するときに合図を出さない

18 安全運転義務違反

例 ハンドル操作を誤った、必要な注意をすることなく漫然と運転

Part 2

認知機能検査の流れを
くわしく解説します

手がかり再生 パターンA

このPartでは、認知機能検査の内容を、検査会場に着いてから、問題を解いて回答し、結果が出るまでの流れをマンガでわかりやすく解説しています。

Part2で使用する手がかり再生問題のイラストは、パターンA〜Dのうちの「パターンA」です。

マンガで流れをつかんだあとは、「手がかり再生」「時間の見当識」の問題や回答方法をみていきましょう。

検査の流れは紙を使用して行う場合で説明しています。タブレット端末を使う場合も流れはほぼ同じです。

問題1　手がかり再生
問題2　時間の見当識

認知機能検査の流れを見てみましょう

※検査の進行は一例です。会場によって異なることがあります。

1 検査に当たって、事前の指示があります

まず、検査員から携帯電話、時計、眼鏡などについての注意事項の説明がある。

1 これから検査を始めます 私の声が聞こえますか？ 聞こえたら手を挙げてください

聞こえたら手を挙げる

2 携帯電話は音が鳴らないようにしまってください マナーモードにするか電源を切ってカバンやポケットなどにしまってください

3 時計をしている方もカバンやポケットなどにしまってください 字の読み書きに眼鏡が必要な方は出しておいてください

⚠ 携帯電話（スマートフォン）や時計をしまう前に、ここで時間を確認して覚えておきましょう。

2 検査の諸注意について説明があります

回答中の注意事項の説明がある。

1 それでは検査の諸注意を行います

問題用紙などは指示があるまでめくらないでください

2 回答中は声を出さないようにしてください 質問があったら手を挙げてください

3 回答中に書き損じがあったときは二重線で訂正してください

太
日本犬郎
↑
間違ったところに二重線を引き、正しい文字や数字を書く

⚠ 問題用紙、回答用紙は最初に配られます。問題用紙はプロジェクターに表示される会場もあります。

❸ 検査結果に関する説明があります

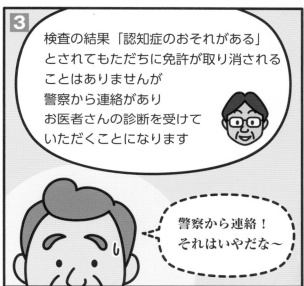

4 表紙に書かれた項目を記入します

表紙に書かれた名前と生年月日を書き入れる。

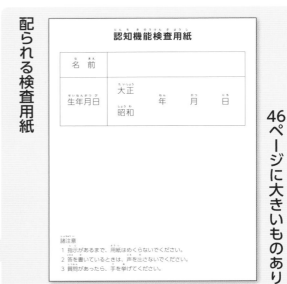

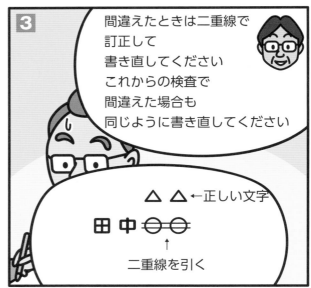

5 「手がかり再生」の検査です

❶イラストの記憶：４つワンセットの合計16の白黒の絵を見て覚える。

1 一度に４つの絵を見せて
それが何度か続きます
あとで何の絵があったかを
答えていただきます

2 絵を覚えるための
ヒントもお出しします
ヒントを手がかりに
覚えるようにしてください

ヒントがあると
助かる

3 これは**大砲**です

大砲

4 これは**オルガン**です

オルガン

5 これは**耳**です

耳

6 これは**ラジオ**です

ラジオ

⚠ ２〜４セット目の絵も同様に読み上げられます。

❗ 2〜4セット目の絵のヒントも同様に読み上げられます。

2 介入課題：指定された数字を消していく。

配られる「問題用紙1」

これから、たくさん数字が書かれた表が出ますので、私が指示をした数字に斜線を引いてもらいます。

例えば、「1と4」に斜線を引いてくださいと言ったときは、

| 1 | 3 | 1 | 4 | 6 | 2 | 1 | 7 | 3 | 9 |
| 8 | 6 | 3 | 1 | 8 | 9 | 5 | 6 | 4 | 3 |

と例示のように順番に、見つけただけ斜線を引いてください。

※指示があるまでめくらないでください。

52ページに大きいものあり

配られる「回答用紙1」

回	答	用	紙		1				
9	3	2	7	5	4	2	4	1	3
3	4	5	2	1	2	7	2	4	6
6	5	2	7	9	6	1	3	4	2
4	6	1	4	3	8	2	6	9	3
2	5	4	5	1	3	7	9	6	8
2	6	5	9	6	8	4	7	1	3
4	1	8	2	4	6	7	1	3	9
9	4	1	6	2	3	2	7	9	5
1	3	7	8	5	6	2	9	8	4
2	5	6	9	1	3	7	4	5	8

※指示があるまでめくらないでください。

53ページに大きいものあり

⚠ この数字を消す問題は、採点されません。覚えた絵（イラスト）を忘れさせるための作業です。作業に夢中になりすぎて絵（イラスト）の名前を忘れないようにしましょう。

❸自由回答：先ほど見た16の絵の名称をヒントなしで答える。

配られる「問題用紙2」

問 題 用 紙 2

　少し前に、何枚かの絵をお見せしました。

　何が描かれていたのかを思い出して、できるだけ全部書いてください。

※指示があるまでめくらないでください。

54ページに大きいものあり

配られる「回答用紙2」

回 答 用 紙 2

1.	9.
2.	10.
3.	11.
4.	12.
5.	13.
6.	14.
7.	15.
8.	16.

※指示があるまでめくらないでください。

55ページに大きいものあり

❹手がかり回答：先ほど見た16の絵の名称をヒントを手がかりに答える。

配られる「問題用紙3」

問 題 用 紙 3

　今度は回答用紙に、ヒントが
書いてあります。

　それを手がかりに、もう一度、
何が描かれていたのかを思い出し
て、できるだけ全部書いてくださ
い。

※指示があるまでめくらないでください。

56ページに大きいものあり

配られる「回答用紙3」

回 答 用 紙 3

1．戦いの武器	9．文房具
2．楽器	10．乗り物
3．体の一部	11．果物
4．電気製品	12．衣類
5．昆虫	13．鳥
6．動物	14．花
7．野菜	15．大工道具
8．台所用品	16．家具

※指示があるまでめくらないでください。

57ページに大きいものあり

❗検査に出る絵は決まっています。48〜51ページの絵をパターンA、71〜74ページの絵をパターンB、85〜88ページの絵をパターンC、99〜102ページの絵をパターンDとして、この中の1つのパターンの16枚が出ます。

⑥ 「時間の見当識」の検査です

検査の年月日、曜日、現在の時刻を記入する。

1 最初の検査を始めます 「問題用紙4」です

2 「回答用紙4」です 鉛筆を持って 始めてください

3 試験場に来たのが10時10分 だったから・・・ 今の時間は・・・

4 やめてください 鉛筆を 置いて ください

あわわ！

配られる「問題用紙4」

問 題 用 紙 4

　この検査には、5つの質問があり ます。

　左側に質問が書いてありますの で、それぞれの質問に対する答を右 側の回答欄に記入してください。

　答が分からない場合には、自信が なくても良いので思ったとおりに記 入してください。空欄とならないよ うにしてください。

※指示があるまでめくらないでください。

63ページに大きいものあり

配られる「回答用紙4」

回 答 用 紙 4

以下の質問にお答えください。

質　問	回　答
今年は何年ですか？	年
今月は何月ですか？	月
今日は何日ですか？	日
今日は何曜日ですか？	曜日
今は何時何分ですか？	時　分

※指示があるまでめくらないでください。

64ページに大きいものあり

❗ 最初に時計をしまう前に時間を覚えておき30分を 足せば、現在のおおよその時間がわかります。

❗ 年は西暦でも和暦（元号）でもかまいません。 時刻は前後30分以内の誤差であれば正答です。

認知機能検査の流れを見てみましょう

7 検査終了です

検査終了後は、用紙の回収⇒採点⇒結果の通知の流れで進む。

❗ 検査結果は、当日伝えられる場合と後日郵送で伝えられる場合があります。
❗ タブレットで検査を行う場合は採点時間が短いので、早く結果が出ます。

8 検査結果の説明です

認知機能検査の結果は2種類に分類されて通知される（用紙の色が異なる）。

判定1 「認知症のおそれあり」
36点未満の人

認知機能検査結果通知書

住　所
氏　名
生年月日
検査年月日　　　　　　　総合点 [　] 点
検査場所　　　　　　　　　　（A　点）
　　　　　　　　　　　　　　（B　点）

　記憶力・判断力が低くなっており、認知症のおそれがあります。

　記憶力・判断力が低下すると、信号無視や一時不停止の違反をしたり、進路変更の合図が遅れたりする傾向がみられます。
　今後の運転について十分注意するとともに、医師やご家族にご相談されることをお勧めします。
　また、臨時適性検査（専門医による診断）を受け、又は医師の診断書を提出していただくお知らせが公安委員会からあります。
　この診断の結果、認知症であることが判明したときは、運転免許の取消し、停止という行政処分の対象となります。

　運転免許証の更新手続の際は、この書面を必ず持参してください。

　　　　　　　　　　　　年　　月　　日

　　　　　　　　　　　　　　公安委員会 印

判定2 「認知症のおそれなし」
36点以上の人

認知機能検査結果通知書

住　所
氏　名
生年月日
検査年月日
検査場所

「認知症のおそれがある」基準には該当しませんでした。

　今回の結果は、記憶力、判断力の低下がないことを意味するものではありません。
　個人差はありますが、加齢により認知機能や身体機能が変化することから、自分自身の状態を常に自覚して、それに応じた運転をすることが大切です。
　記憶力・判断力が低下すると、信号無視や一時不停止の違反をしたり、進路変更の合図が遅れたりする傾向がみられますので、今後の運転について十分注意してください。

　運転免許証の更新手続の際は、この書面を必ず持参してください。

　　　　　　　　　　　　年　　月　　日

　　　　　　　　　　　　　　公安委員会 印

合格の場合は点数は示されません。

認知機能検査をご家庭で行うときの注意点です

会場で検査を受けるときと同じように準備をととのえて、家族の方に協力してもらいましょう。

1 検査を始める準備をしましょう

❶携帯電話は音が鳴らないように

検査中に電話やメールの着信音が鳴ると検査に集中できなくなります。携帯電話をお持ちの方は、近くに置かないようにするか、マナーモードの設定や電源を切るなどして、**着信音が鳴らないようにしてください。**

❷カレンダーや時計が見えないように

検査には、日時や時間の見当識を検査する内容が含まれています。近くにカレンダーや時計があったら、場所を移動するか隠すなどして、**視界に入らないようにしてください。**

❸検査で使うものを用意する

筆記用具（鉛筆またはボールペン）、時間が計れるもの（キッチンタイマーやストップウォッチ）、必要な方は眼鏡をご用意ください。

2 検査中の注意点を確認しておきましょう

・回答中は、声を出さないでください。

・間違えたときは二重線を引いて訂正して書き直してください。
　消しゴムは使いません。

　[訂正の方法]

（例）

太
日　本　左　郎

間違ったところに二重線を引き、
正しい文字や数字を書きます。

・時間の見当識（けんとうしき）を採点するためにも、始めた時間をメモしておきましょう。

・検査は、時間を計って作業を進めます。すべてが終わるまでの所要時間は、約30分です。ご自身でキッチンタイマーやストップウォッチなどで時間を計るか、ご家族の方にご協力してもらうとスムーズに行うことができます。

認知機能検査を
練習してみましょう

これから解説する内容は、実際の検査（紙を使う場合）に準拠しています。ご家庭等で体験してみましょう。

検査前 **認知機能検査の検査用紙への記入**

　検査を始める前に、ご自身の名前、生年月日を、検査用紙の表紙に記入します。実際の回答時間は１分30秒です。なお、実際の検査では、**問題用紙、回答用紙は、最初にすべて配られます。**採点対象にはなりません。

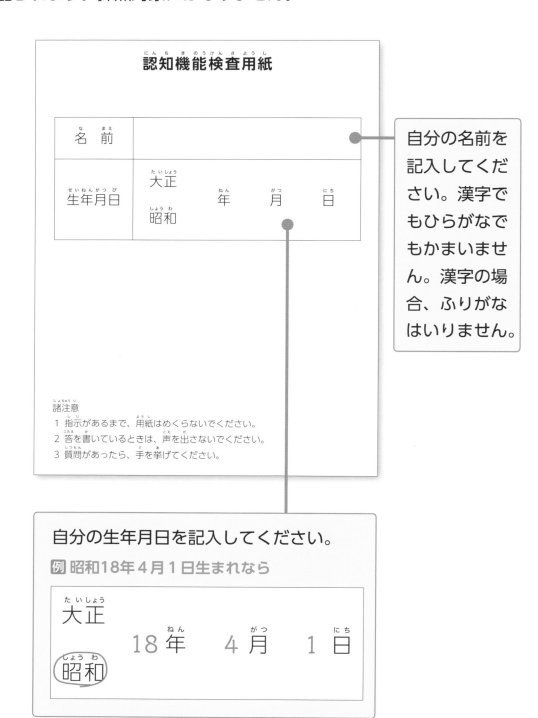

認知機能検査用紙

名 前	
生年月日	大正　　　　　年　　　月　　　日　昭和

諸注意
1 指示があるまで、用紙はめくらないでください。
2 答を書いているときは、声を出さないでください。
3 質問があったら、手を挙げてください。

自分の名前を記入してください。漢字でもひらがなでもかまいません。漢字の場合、ふりがなはいりません。

自分の生年月日を記入してください。

例 昭和18年4月1日生まれなら

大正			
18年	4月	1日	
昭和			

問題1 手がかり再生

手がかり再生は、16の絵を順次見て、あとで答える検査です。絵を見てから答えるまでに、指定された数字に斜線を引く「介入課題」（→52ページ）があります。
100点満点中、配点は80点です。

1 イラストの記憶

まず、白黒の絵を4枚1セットで約1分見ます。
これを4セット行い、合計16枚の絵を覚えます。

検査員

実際の検査で話すセリフです。本書では「検査員」としています。

これから、いくつかの絵を見せます。
一度に4つの絵を見せます。それが何度か続きます。
あとで、何の絵があったかを、すべて答えていただきます。よく覚えてください。
絵を覚えるためのヒントも出します。
ヒントを手がかりに覚えるようにしてください。
4つの絵を、だいたい1分で覚えていただきます。

ご家庭で問題を解く場合のアドバイスです。本書では「アドバイザー」としています。

アドバイザー

絵は手元に問題用紙として配られるのではなく、画面に映したり、検査員が絵の描かれた紙などを持ったりします。

●イラストの記憶（1セット目）

まず、1セット目です。4つの絵が描かれています。検査員が、それぞれの**絵の名前**と**ヒント**を口頭で以下のように話します。

4つの絵を、ヒントを手がかりにだいたい1分で覚えてください。

これは、大砲です。

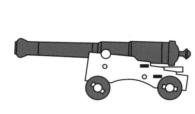

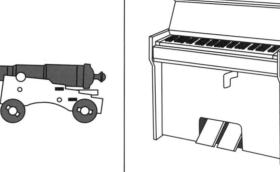

これは、オルガンです。

これは、耳です。

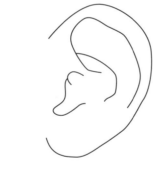

これは、ラジオです。

ヒント

この中に、戦いの武器があります。それは何ですか？　大砲ですね。
この中に、楽器があります。それは何ですか？　オルガンですね。
この中に、体の一部があります。それは何ですか？　耳ですね。
この中に、電気製品があります。それは何ですか？　ラジオですね。

実際の検査では、だいたい1分たったら2セット目にうつるので、ご家庭で行う場合は、1分たったら覚えるのをやめ、2セット目にうつってください。

● イラストの記憶（２セット目）

次に２セット目です。４つの絵が描かれています。検査員が、それぞれの**絵の名前**
と**ヒント**を口頭で以下のように話します。

アドバイザー

実際の絵もこれと同じようなタッチの絵になります。

これは、
テントウムシ
です。

検査員

これは、
ライオン
です。

検査員

手がかり再生

これは、
タケノコ
です。

検査員

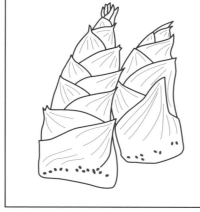

これは、
フライパン
です。

検査員

ヒント

検査員

この中に、台所用品があります。それは何ですか？　フライパンですね。
この中に、野菜があります。それは何ですか？　タケノコですね。
この中に、動物がいます。それは何ですか？　ライオンですね。
この中に、昆虫がいます。それは何ですか？　テントウムシですね。

実際の検査では、だいたい１分たったら３セット目にうつ
るので、ご家庭で行う場合は、１分たったら覚えるのをや
め、３セット目にうつってください。

アドバイザー

● イラストの記憶（３セット目）

次に３セット目です。４つの絵が描かれています。検査員が、それぞれの**絵の名前**と**ヒント**を口頭で以下のように話します。

アドバイザー

4つの絵を、ヒントを手がかりにだいたい1分で覚えてください。

これは、ものさしです。

検査員

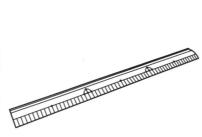

これは、オートバイです。

検査員

これは、ブドウです。

検査員

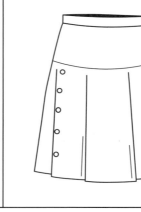

これは、スカートです。

検査員

ヒント

検査員

この中に、文房具があります。それは何ですか？　ものさしですね。
この中に、乗り物があります。それは何ですか？　オートバイですね。
この中に、果物があります。それは何ですか？　ブドウですね。
この中に、衣類があります。それは何ですか？　スカートですね。

実際の検査では、だいたい１分たったら４セット目にうつるので、ご家庭で行う場合は、１分たったら覚えるのをやめ、４セット目にうつってください。

アドバイザー

50

● イラストの記憶（4セット目）

最後の4セット目です。4つの絵が描かれています。検査員が、それぞれの**絵の名前**と**ヒント**を口頭で以下のように話します。

4つの絵を、ヒントを手がかりにだいたい1分で覚えてください。

これは、
にわとり
です。

これは、
バラです。

これは、
ペンチです。

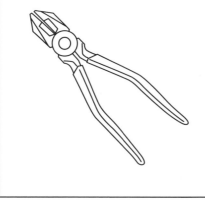

これは、
ベッドです。

ヒント

この中に、家具があります。それは何ですか？　ベッドですね。
この中に、大工道具があります。それは何ですか？　ペンチですね。
この中に、花があります。それは何ですか？　バラですね。
この中に、鳥がいます。それは何ですか？　にわとりですね。

絵のパターンは、A〜Dの4種類があります。今回出題された16枚の絵はパターンAです。検査当日は必ずどれかのパターンが出されます。本書ではすべて網羅しています。

続けて、次ページの介入課題に進んでください。

手がかり再生

❷介入課題（指定された数字を消していく）

指定された数字に斜線を引く問題です。
数字は２度、指示があります。

回答時間
指示があってから
30秒
（1・2回目ともに）

問 題 用 紙 1

　これから、たくさん数字が書かれた表が出ますので、私が指示をした数字に斜線を引いてもらいます。
　例えば、「１と４」に斜線を引いてくださいと言ったときは、

→

| 4 | 3 | 1 | 4 | 6 | 2 | 4 | 7 | 3 | 9 |
| 8 | 6 | 3 | 1 | 8 | 9 | 5 | 6 | 4 | 3 |

と例示のように順番に、見つけただけ斜線を引いてください。

※指示があるまでめくらないでください。

行は、なるべくとばさないように気をつけてください。

ご家庭で行う場合は、次ページへ進み「回答用紙１」を始めてください。

アドバイザー

52

「3と6」に斜線を引いてください。

（30秒で回答）

回答用紙 1

手がかり再生

→

9	3	2	7	5	4	2	4	1	3
3	4	5	2	1	2	7	2	4	6
6	5	2	7	9	6	1	3	4	2
4	6	1	4	3	8	2	6	9	3
2	5	4	5	1	3	7	9	6	8
2	6	5	9	6	8	4	7	1	3
4	1	8	2	4	6	7	1	3	9
9	4	1	6	2	3	2	7	9	5
1	3	7	8	5	6	2	9	8	4
2	5	6	9	1	3	7	4	5	8

※指示があるまでめくらないでください。

続きまして、同じ用紙に、はじめから「2と5と8」に斜線を引いてください。

（30秒で回答）

実際の検査時に指定される数字は、そのつど変更されます。

ご家庭で行う場合は、回答終了後、「問題用紙2」に進んでください。

③自由回答 （先ほど見た16の絵の名称を）
（ヒントなしで答える）

数字を消す問題の前に見せられた絵を答える問題です。記憶をたどって、何の絵があったのかを思い出して書いてみましょう。

回答時間
3分

問題用紙 2

　少し前に、何枚かの絵をお見せしました。

　何が描かれていたのかを思い出して、できるだけ全部書いてください。

　※指示があるまでめくらないでください。

アドバイザー

ご家庭で行う場合は、次ページへ進み「回答用紙2」を始めてください。

ご家庭で行う場合は、回答中は絵を見ないようにしてください。

回　答　用　紙　2
（かいとうようし）

1.	9.
2.	10.
3.	11.
4.	12.
5.	13.
6.	14.
7.	15.
8.	16.

※指示があるまでめくらないでください。

アドバイザー

ご家庭で行う場合は、3分たったら記入をやめて、「問題用紙3」
に進んでください。

・「漢字」でも「カタカナ」でも「ひらがな」でもかまいません。
・見せられたイラストの順番でなくてもかまいません。
・間違えた場合は、二重線を引いて訂正してください。

④手がかり回答 （先ほど見た16の絵の名称を ヒントを手がかりに答える）

絵の名前を答えるのは「自由回答」と同じですが、今度はヒントを手がかりに、何の絵があったのかを思い出してみましょう。

回答時間 **3**分

問 題 用 紙 ３

　今度は回答用紙に、ヒントが書いてあります。

　それを手がかりに、もう一度、何が描かれていたのかを思い出して、できるだけ全部書いてください。

※指示があるまでめくらないでください。

アドバイザー

ご家庭で行う場合は、次ページへ進み「回答用紙３」を始めてください。

ご家庭で行う場合は、回答中は絵を見ないようにしてください。

回答用紙 3

1．戦いの武器	9．文房具
2．楽器	10．乗り物
3．体の一部	11．果物
4．電気製品	12．衣類
5．昆虫	13．鳥
6．動物	14．花
7．野菜	15．大工道具
8．台所用品	16．家具

※指示があるまでめくらないでください。

ご家庭で行う場合は、3分たったら記入をやめて、「問題用紙4」に進んでください。

アドバイザー

・「漢字」でも「カタカナ」でも「ひらがな」でもかまいません。
・それぞれのヒントに対して回答は1つだけです。2つ以上は書かないでください。
・間違えた場合は、二重線を引いて訂正してください。

自由回答【解答一覧】

54〜55ページで行った問題の解答です。照らし合わせて確認しましょう。

回答用紙 2
（かい とう よう し）

1. 大砲	9. ものさし
2. オルガン	10. オートバイ
3. 耳	11. ブドウ
4. ラジオ	12. スカート
5. テントウムシ	13. にわとり
6. ライオン	14. バラ
7. タケノコ	15. ペンチ
8. フライパン	16. ベッド

くわしい採点方法は60〜61ページをご覧ください。

※指示があるまでめくらないでください。

アドバイザー

・「漢字」でも「カタカナ」でも「ひらがな」でもかまいません。
・見せられたイラストの順番でなくてもかまいません。
・1つの回答欄に2つ以上の回答を記入すると不正解になります。

アドバイザー

手がかり回答【解答一覧】

56〜57ページで行った問題の解答です。照らし合わせて確認しましょう。

回答用紙 3

1. 戦いの武器 大砲	9. 文房具 ものさし
2. 楽器 オルガン	10. 乗り物 オートバイ
3. 体の一部 耳	11. 果物 ブドウ
4. 電気製品 ラジオ	12. 衣類 スカート
5. 昆虫 テントウムシ	13. 鳥 にわとり
6. 動物 ライオン	14. 花 バラ
7. 野菜 タケノコ	15. 大工道具 ペンチ
8. 台所用品 フライパン	16. 家具 ベッド

くわしい採点方法は60〜61ページをご覧ください。

※指示があるまでめくらないでください。

アドバイザー

アドバイザー

・「漢字」でも「カタカナ」でも「ひらがな」でもかまいません。
・ヒントと回答が一致していなくても正しく回答されていれば正解です。
・1つの回答欄に2つ以上の回答を記入すると不正解になります。

手がかり再生

手がかり再生の採点方法

提示された絵と解答が正しいかを調べます。1つの絵についての配点は以下の通りです。

指数（2.499）をかけたあとのおおよその点数（100点満点の点数）を青で示しています

「手がかり再生」は最大32点です。「手がかり再生」で得られた得点に指数（2.499）をかけて計算するため、総合点（100点）のうち80点の配点となります（詳しくは66ページ）。

・自由回答のみ正答の場合→ 2点（5点）
・手がかり回答のみ正答の場合→ 1点（2.5点）

最大32点（最大80点）

1つのイラストで最大 2点（5点）ですので

16個×2点（5点）= 32点（80点）となります。

次のSTEPに従って採点しましょう【STEP 1〜8】

回答用紙の実例を示しながら説明します。

STEP 1 自由回答【解答一覧】のページを開きましょう

STEP 2 自由回答（回答用紙2）を採点しましょう

STEP 3 手がかり回答【解答一覧】のページを開きましょう

STEP 4 回答用紙3を出し自由回答（回答用紙2）で正解したところに線を入れましょう

STEP1の用紙と答え合わせをして、正解したら回答用紙2に〇を入れます。

STEP 2で正解した〇部分には回答用紙3に線（ー）を入れます。

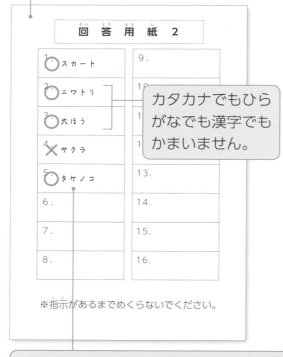

回 答 用 紙 2	
1〇スカート	9.
2〇ニワトリ	10.
3〇大ほう	11.
4×サクラ	12.
5〇タケノコ	13.
6.	14.
7.	15.
8.	16.

カタカナでもひらがなでも漢字でもかまいません。

※指示があるまでめくらないでください。

回 答 用 紙 3	
1．戦いの武器 大ほう	9．文房具 ものさし
2．楽器 オルガン	10．乗り物 オートバ
3．体の一部 耳	11．果物
4．電気製品 ラジオ	12．衣類 スカート
5．昆虫	13．鳥
6．動物 トラ	14．花
7．野菜	15．大工道具 バラ
8．台所用品	16．家具 ベッド

※指示があるまでめくらないでください。

大砲とスカートはSTEP 2で正解したので線（ー）を入れます

順番は問いません。解答一覧に名称があれば〇です。

STEP 5 手がかり回答（回答用紙3）を採点しましょう

採点では、受検者に対して示したイラストを受検者が覚えているかどうかを検査するものであることから、次の①〜③のような受検者に不利とならない採点が行われる。

① 検査員が説明した言葉を言い換えた場合は正答とする【例】方言、外国語、通称名（一般的にその物を示す商品名、製造社名、品種）。

② 検査員が示したイラストと類似しているものを回答した場合は正答とする。

③ 回答した言葉に誤字または脱字がある場合は正答とする。

※①〜③に示すものであっても、絵の区分上、またはカテゴリーから容易に想像できるものなどは誤答とする。

【STEP 3】の用紙と答え合わせをして、正解には回答用紙3に○を入れます。

回 答 用 紙 3

1．戦いの武器 ~~大ほう~~	9．文房具 ○ ものさし
2．楽器 ○ オルガン	10．乗り物 ○ オートバイ
3．体の一部 ○ 図	11．果物
4．電気製品 ○ ラジオ	12．衣類 ~~スカート~~
5．昆虫	13．鳥
6．動物 × トラ	14．花
7．野菜	15．大工道具 ○ バラ
8．台所用品	16．家具 ○ ベッド

※指示があるまでめくらないでください。

一を入れたところは【STEP 2】で数えていますので、【STEP 5】ではカウントしません。

ヒントと対応していないところに書いても（花ではないところにバラと書く）、【STEP 3】の解答一覧に名称があれば○です。

手がかり再生

STEP 6 回答用紙2（STEP 2）で正解した数（○をつけたところ）を数えて得点を出しましょう

$$2\text{点（配点）} \times \boxed{4}\text{（正解数）} = \boxed{8}^{A}\text{点（得点）}$$

STEP 7 回答用紙3（STEP 5）で正解した数（○をつけたところ）を数えて得点を出しましょう

$$1\text{点（配点）} \times \boxed{7}\text{（正解数）} = \boxed{7}^{B}\text{点（得点）}$$

STEP 8 AとBを合計しましょう

$$\boxed{8}^{A}\text{点} + \boxed{7}^{B}\text{点} = \boxed{15}\text{点} \leftarrow（32点中）$$

この得点は、手がかり再生の配点32点中の得点です。100点満点の総合点を出すときは、指数2.499をかけます。たとえば、15点とった場合は指数2.499をかけるので、37.485点となります。総合点のしくみは66〜67ページをご覧ください。

介入課題 【解答一覧】

53ページで行った課題の解答です。照らし合わせて確認しましょう。

アドバイザー

この問題は、認知機能を検査するものではなく、先に記憶した絵を忘れさせるために行われます。間違えてもかまいません。
従いまして、**この問題の配点はありません**（正解は下記のとおりです）。

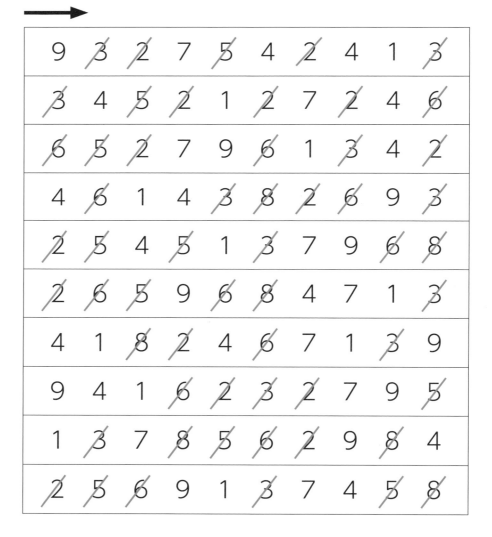

回 答 用 紙 1

9	3	2	7	5	4	2	4	1	3
3	4	5	2	1	2	7	2	4	6
6	5	2	7	9	6	1	3	4	2
4	6	1	4	3	8	2	6	9	3
2	5	4	5	1	3	7	9	6	8
2	6	5	9	6	8	4	7	1	3
4	1	8	2	4	6	7	1	3	9
9	4	1	6	2	3	2	7	9	5
1	3	7	8	5	6	2	9	8	4
2	5	6	9	1	3	7	4	5	8

※指示があるまでめくらないでください。

問題2 時間の見当識

検査が行われる年月日、曜日、時刻を回答する問題です。
問題用紙の問題を読み、回答用紙に記入します。
100点満点中、配点は20点です。

回答時間 **2**分

問 題 用 紙 4

　この検査には、5つの質問があります。

　左側に質問が書いてありますので、それぞれの質問に対する答を右側の回答欄に記入してください。

　答が分からない場合には、自信がなくても良いので思ったとおりに記入してください。空欄とならないようにしてください。

　※指示があるまでめくらないでください。

アドバイザー

ご家庭で行う場合は、次ページへ進み「回答用紙4」を記入してください。

回答用紙 4

以下の質問にお答えください。

枠内に記入しましょう。

質 問	回 答
今年は何年ですか？	年
今月は何月ですか？	月
今日は何日ですか？	日
今日は何曜日ですか？	曜日
今は何時何分ですか？	時 分

西暦で書いても、和暦で書いてもかまいません。和暦とは、元号(令和)を用いた言い方のことです。「なにどし」ではないので干支で回答しないでください。

時間はだいたいで結構です。時計をしまうときに時刻を確認しておきましょう。

アドバイザー

よくわからない場合でも、できるだけ何らかの答えを記入してください。ご家庭で行う場合は、2分たったら記入をやめてください。これで認知機能検査は終了です。

時間の見当識【解答一覧】

前ページの回答例です。照らし合わせて確認しましょう。「年」、「月」、「日」、「曜日」、「時間」は、それぞれ独立に採点し、合計した点数が得点となります。すべて正解した場合、15点になります（100点満点では20点）。

２０２×年（令和×年）１月２０日（月曜日）１０時３０分の場合

回答用紙 4

アドバイザー

空欄や間違った場合は不正解（０点）です！

以下の質問にお答えください。

質　問	回　答
今年は何年ですか？	２０２×年
今月は何月ですか？	1 月
今日は何日ですか？	20 日
今日は何曜日ですか？	月 曜日
今は何時何分ですか？	10 時 30 分

西暦・和暦、どちらでもかまいません。ただし、和暦の場合、元号を間違えた場合は不正解です。

令和×でもかまいません。

検査開始時刻よりおおよそ前後30分を超えている場合は不正解です。午前・午後の記載の有無は問いません（24時間表記でもOK）。

！得点は67ページの「STEP9の表」に記入し、合計点を出しましょう。

総合点の算出方法

　総合点は、「手がかり再生」と「時間の見当識」、それぞれの点数を次の計算式に代入して決まります（小数点以下は切り捨て）。

$$\text{総合点}\ _{(100点満点)} = \frac{\text{「手がかり再生」}}{\text{の点数（最大32点）}} \times 2.499 + \frac{\text{「時間の見当識」}}{\text{の点数（最大15点）}} \times 1.336$$

　次のSTEPに従って総合点を算出します（採点方法は、手がかり再生60〜61ページ、時間の見当識65ページを参照）。判定結果は68ページで確認してください。

■ 手がかり再生の得点の算出
【STEP1〜8】

STEP 1	自由回答【解答一覧】のページを開きましょう

STEP 3	手がかり回答【解答一覧】のページを開きましょう

STEP 2	自由回答（回答用紙2）を採点しましょう

STEP 4	回答用紙3を出し自由回答（回答用紙2）で正解したところに線を入れましょう

回 答 用 紙 2

1.	9.
2.	10.
3.	11.
4.	12.
5.	13.
6.	14.
7.	15.
8.	16.

※指示があるまでめくらないでください。

回 答 用 紙 3

1．戦いの武器	9．文房具
2．楽器	10．乗り物
3．体の一部	11．果物
4．電気製品	12．衣類
5．昆虫	13．鳥
6．動物	14．花
7．野菜	15．大工道具
8．台所用品	16．家具

※指示があるまでめくらないでください。

※STEP 1〜8は、60〜61ページと同じです。

STEP 5 | 手がかり回答（回答用紙3）を採点しましょう

回 答 用 紙 3	
1．戦いの武器	9．文房具
2．楽器	10．乗り物
3．体の一部	11．果物
4．電気製品	12．衣類
5．昆虫	13．鳥
6．動物	14．花
7．野菜	15．大工道具
8．台所用品	16．家具

※指示があるまでめくらないでください。

STEP 6 | 回答用紙2（STEP 2）で正解した数（○をつけたところ）を数えて得点を出しましょう

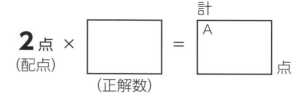

$$2_\text{点} \times \boxed{} = \boxed{A}_\text{点}$$
（配点）　（正解数）　計

STEP 7 | 回答用紙3（STEP 5）で正解した数（○をつけたところ）を数えて得点を出しましょう

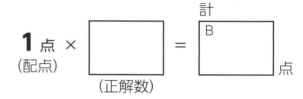

$$1_\text{点} \times \boxed{} = \boxed{B}_\text{点}$$
（配点）　（正解数）　計

STEP 8 | AとBを合計しましょう

$$\boxed{A}_\text{点} + \boxed{B}_\text{点} = \boxed{C}_\text{点}$$
計

2 時間の見当識の得点の算出
【STEP 9】

STEP 9 | 時間の見当識を採点しましょう

正解したら得点を書き込み、合計点を出します。

質問	配点	得点
何年	5点	
何月	4点	
何日	3点	
何曜日	2点	
何時何分	1点	
合 計 点		

計
$$\boxed{D}_\text{点}$$

3 総合点の算出【STEP10】

STEP 10 | STEP 8、STEP 9の点数に指数をかけて総合点を出しましょう

総合点

$$\boxed{C}_\text{点} \times 2.499 + \boxed{D}_\text{点} \times 1.336 = \boxed{}_\text{点}$$
　　　　↑　　　　　　　↑　　　（小数点以下は切り捨て）
　　　指数　　　　　　指数

認知機能検査の判定結果を確認しましょう

認知機能検査の判定結果を確認しましょう。

結果は66〜67ページで算出した総合点の数値を基準にして、あなたの認知機能を２種類で判定します。

アドバイザー

ご家庭で行う場合は、66〜67ページの方法で総合点を算出してください。

判定結果	
総合点 **36点未満** 	**【判定１】記憶力・判断力が低くなっており、認知症のおそれがあります。** 記憶力・判断力が低下すると、信号無視や一時不停止の違反をしたり、進路変更の合図が遅れたりする傾向がみられます。 今後の運転について十分注意するとともに、医師やご家族にご相談されることをお勧めします。 また、臨時適性検査（専門医による診断）を受け、または医師の診断書を提出していただくお知らせが公安委員会からあります。 この診断の結果、認知症であることが判明したときは、運転免許の取消し、停止という行政処分の対象となります。
総合点 **36点以上** 	**【判定２】「認知症のおそれがある」基準には該当しませんでした。** 今回の結果は、記憶力、判断力の低下がないことを意味するものではありません。 個人差はありますが、加齢により認知機能や身体機能が変化することから、自分自身の状態を常に自覚して、それに応じた運転をすることが大切です。 記憶力・判断力が低下すると、信号無視や一時不停止の違反をしたり、進路変更の合図が遅れたりする傾向がみられますので、今後の運転について十分注意してください。

※20ページ「認知機能検査結果通知書」より。

Part3

認知機能検査の問題を解いてみましょう

この Part では、実際の検査問題を 3 回分掲載しました。本番の検査では、Part2 で解説した問題（手がかり再生パターンA）と Part3 の 3 回分の問題（手がかり再生パターン B ～ D）計 4 回分のどれかの問題が出ます。

時間を計ってご家庭で解いてみましょう。解き終わったら、解答一覧とカンタン採点表で自己採点してみましょう。

第1回テスト（70～83ページ）	**手がかり再生 パターンB**
第2回テスト（84～97ページ）	**手がかり再生 パターンC**
第3回テスト（98～111ページ）	**手がかり再生 パターンD**

問題1　手がかり再生

手がかり再生は、16の絵を順次見て、あとで答える検査です。絵を見てから答える間に、指定の数字に斜線を引く「介入課題」があります。

1 イラストの記憶

まず、絵を4枚1セットで約1分見ます。
これを4セット行い、合計16枚の絵を覚えます。

検査員

これから、いくつかの絵を見せます。
一度に4つの絵を見せます。それが何度か続きます。
あとで、何の絵があったかを、
すべて答えていただきます。よく覚えてください。
絵を覚えるためのヒントも出します。
ヒントを手がかりに覚えるようにしてください。
4つの絵を、だいたい1分で覚えていただきます。

アドバイザー

今回は パターンB の絵です。

絵は手元に問題用紙として配られるのではなく、画面に映したり、検査員が絵の描かれた紙などを持ったりします。

● イラストの記憶（1セット目）

まず、1セット目です。4つの絵が描かれています。検査員が、それぞれの絵の名前とヒントを口頭で以下のように話します。

アドバイザー

4つの絵を、ヒントを手がかりにだいたい1分で覚えてください。

これは、
戦車です。

検査員

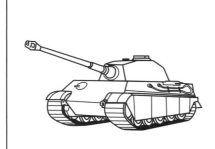

これは、
太鼓です。

検査員

これは、
目です。

検査員

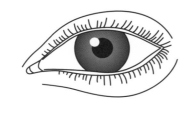

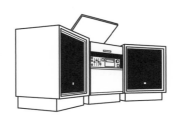

これは、
ステレオ
です。

検査員

ヒント

検査員

この中に、電気製品があります。それは何ですか？ ステレオですね。
この中に、楽器があります。それは何ですか？ 太鼓ですね。
この中に、体の一部があります。それは何ですか？ 目ですね。
この中に、戦いの武器があります。それは何ですか？ 戦車ですね。

実際の検査では、だいたい1分たったら2セット目にうつるので、ご家庭で行う場合は、1分たったら覚えるのをやめ、2セット目にうつってください。

アドバイザー

● イラストの記憶（2セット目）

アドバイザー

4つの絵を、ヒントを手がかりにだいたい1分で覚えてください。

これは、トンボです。

検査員

これは、ウサギです。

検査員

これは、トマトです。

検査員

これは、ヤカンです。

検査員

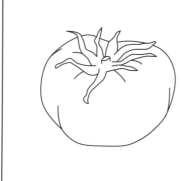

|ヒント|

検査員

この中に、昆虫がいます。それは何ですか？　トンボですね。
この中に、動物がいます。それは何ですか？　ウサギですね。
この中に、野菜があります。それは何ですか？　トマトですね。
この中に、台所用品があります。それは何ですか？　ヤカンですね。

実際の検査では、だいたい1分たったら3セット目にうつるので、ご家庭で行う場合は、1分たったら覚えるのをやめ、3セット目にうつってください。

アドバイザー

● イラストの記憶（3セット目）

アドバイザー

4つの絵を、ヒントを手がかりにだいたい1分で覚えてください。

これは、
万年筆です。

検査員

これは、
レモンです。

検査員

これは、
飛行機です。

検査員

これは、
コートです。

検査員

> ヒント

検査員

この中に、衣類があります。それは何ですか？　コートですね。
この中に、果物があります。それは何ですか？　レモンですね。
この中に、乗り物があります。それは何ですか？　飛行機ですね。
この中に、文房具があります。それは何ですか？　万年筆ですね。

実際の検査では、だいたい1分たったら4セット目にうつるので、ご家庭で行う場合は、1分たったら覚えるのをやめ、4セット目にうつってください。

アドバイザー

● イラストの記憶（4セット目）

アドバイザー

4つの絵を、ヒントを手がかりにだいたい1分で覚えてください。

これは、ペンギンです。

検査員

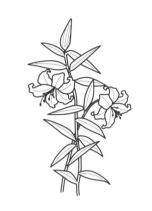

これは、ユリです。

検査員

これは、カナヅチです。

検査員

これは、机です。

検査員

\ヒント/

検査員

この中に、鳥がいます。それは何ですか？　ペンギンですね。
この中に、花があります。それは何ですか？　ユリですね。
この中に、大工道具があります。それは何ですか？　カナヅチですね。
この中に、家具があります。それは何ですか？　机ですね。

だいたい1分たったら、覚える絵はおしまいです。あとで何の絵があったのかを答えてもらいますので、よく覚えておいてください。

アドバイザー

2 介入課題（指定された数字を消していく）

指定された数字に斜線を引く問題です。
数字は2度、指示があります。
なお、この課題は採点されません。

問 題 用 紙 1

これから、たくさん数字が書かれた表が出ますので、私が指示をした数字に斜線を引いてもらいます。

例えば、「1と4」に斜線を引いてくださいと言ったときは、

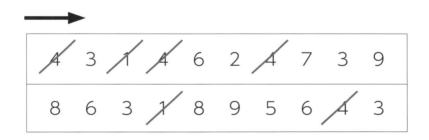

と例示のように順番に、見つけただけ斜線を引いてください。

※指示があるまでめくらないでください。

ご家庭で行う場合は、次ページへ進み「回答用紙1」を始めてください。

アドバイザー

「2と7」に斜線を引いてください。

（30秒で回答）

回答用紙 1

9	3	2	7	5	4	2	4	1	3
3	4	5	2	1	2	7	2	4	6
6	5	2	7	9	6	1	3	4	2
4	6	1	4	3	8	2	6	9	3
2	5	4	5	1	3	7	9	6	8
2	6	5	9	6	8	4	7	1	3
4	1	8	2	4	6	7	1	3	9
9	4	1	6	2	3	2	7	9	5
1	3	7	8	5	6	2	9	8	4
2	5	6	9	1	3	7	4	5	8

※指示があるまでめくらないでください。

検査員

続きまして、同じ用紙に、はじめから「1と4と9」に斜線を引いてください。

（30秒で回答）

ご家庭で行う場合は、回答終了後、「問題用紙2」に進んでください。

アドバイザー

❸自由回答 （先ほど見た16の絵の名称をヒントなしで答える）

数字を消す問題の前に見せられた絵を答える問題です。記憶をたどって、何の絵があったのかを思い出してみましょう。

回答時間
3分

問　題　用　紙　2

　少し前に、何枚かの絵をお見せしました。

　何が描かれていたのかを思い出して、できるだけ全部書いてください。

　※指示があるまでめくらないでください。

アドバイザー

ご家庭で行う場合は、次ページへ進み「回答用紙2」を始めてください。

回答用紙 2

1.	9.
2.	10.
3.	11.
4.	12.
5.	13.
6.	14.
7.	15.
8.	16.

※指示があるまでめくらないでください。

ご家庭で行う場合は、3分たったら記入をやめて、「問題用紙3」に進んでください。

・「漢字」でも「カタカナ」でも「ひらがな」でもかまいません。
・見せられたイラストの順番でなくてもかまいません。
・間違えた場合は、二重線を引いて訂正してください。

アドバイザー

4 手がかり回答 （先ほど見た16の絵の名称を ヒントを手がかりに答える）

絵の名前を答えるのは「自由回答」と同じですが、今度はヒントを手がかりに、何の絵があったのかを思い出してみましょう。

回答時間
3分

問 題 用 紙 3

　今度は回答用紙に、ヒントが書いてあります。

　それを手がかりに、もう一度、何が描かれていたのかを思い出して、できるだけ全部書いてください。

※指示があるまでめくらないでください。

ご家庭で行う場合は、次ページへ進み「回答用紙3」を始めてください。

アドバイザー

回答用紙 3

1. 戦いの武器	9. 文房具
2. 楽器	10. 乗り物
3. 体の一部	11. 果物
4. 電気製品	12. 衣類
5. 昆虫	13. 鳥
6. 動物	14. 花
7. 野菜	15. 大工道具
8. 台所用品	16. 家具

※指示があるまでめくらないでください。

ご家庭で行う場合は、3分たったら記入をやめて、「問題用紙4」に進んでください。

・「漢字」でも「カタカナ」でも「ひらがな」でもかまいません。
・それぞれのヒントに対して回答は1つだけです。2つ以上は書かないでください。
・間違えた場合は、二重線を引いて訂正してください。

アドバイザー

問題2 時間の見当識

検査が行われる年月日、曜日、時刻を回答する問題です。
問題用紙の問題を読み、回答用紙に記入します。

回答時間
2分

問 題 用 紙 4

　この検査には、5つの質問があります。

　左側に質問が書いてありますので、それぞれの質問に対する答を右側の回答欄に記入してください。

　答が分からない場合には、自信がなくても良いので思ったとおりに記入してください。空欄とならないようにしてください。

　※指示があるまでめくらないでください。

アドバイザー

ご家庭で行う場合は、次ページへ進み「回答用紙4」に記入してください。

回答用紙 4

以下の質問にお答えください。

質問	回答
今年は何年ですか？	年
今月は何月ですか？	月
今日は何日ですか？	日
今日は何曜日ですか？	曜日
今は何時何分ですか？	時　分

アドバイザー

よくわからない場合でも、できるだけ何らかの答えを記入してください。ご家庭で行う場合は、2分たったら記入をやめてください。これで認知機能検査は終了です。

自由回答【解答一覧】

回　答　用　紙　2

1．戦車	9．万年筆
2．太鼓	10．飛行機
3．目	11．レモン
4．ステレオ	12．コート
5．トンボ	13．ペンギン
6．ウサギ	14．ユリ
7．トマト	15．カナヅチ
8．ヤカン	16．机

※指示があるまでめくらないでください。

手がかり回答【解答一覧】

回　答　用　紙　3

1．戦いの武器 戦車	9．文房具 万年筆
2．楽器 太鼓	10．乗り物 飛行機
3．体の一部 目	11．果物 レモン
4．電気製品 ステレオ	12．衣類 コート
5．昆虫 トンボ	13．鳥 ペンギン
6．動物 ウサギ	14．花 ユリ
7．野菜 トマト	15．大工道具 カナヅチ
8．台所用品 ヤカン	16．家具 机

※指示があるまでめくらないでください。

カンタン採点表

 60～61ページのSTEP1～5を読んで回答用紙2・3に〇をつけていきましょう。

STEP 6　回答用紙2（STEP2）で正解した数（〇をつけたところ）を数えて得点を出しましょう

2点 （配点） × ☐（正解数） = ☐ 計 A 点（得点）

STEP 7　回答用紙3（STEP5）で正解した数（〇をつけたところ）を数えて得点を出しましょう

1点 （配点） × ☐（正解数） = ☐ 計 B 点（得点）

STEP 8　AとBを合計しましょう

☐ A 点 + ☐ B 点 = ☐ 計 C 点

STEP 9　時間の見当識を採点しましょう

質問	配点	得点
何年	5点	
何月	4点	
何日	3点	
何曜日	2点	
何時何分	1点	
合　計	点	

計 D 点

STEP 10　STEP8、STEP9の点数に指数をかけて総合点を出しましょう

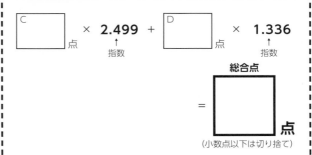

☐ C 点 × **2.499**（指数） + ☐ D 点 × **1.336**（指数）

= ☐ 総合点 **点**（小数点以下は切り捨て）

・「手がかり再生（介入課題）」の問題は採点しませんので、答えは割愛します。
・「時間の見当識」の問題はテストを行った年月日、曜日、時刻で採点してください。

問題1　手がかり再生

手がかり再生は、16の絵を順次見て、あとで答える検査です。絵を見てから答える間に、指定の数字に斜線を引く「介入課題」があります。

1 イラストの記憶

まず、絵を4枚1セットで約1分見ます。
これを4セット行い、合計16枚の絵を覚えます。

検査員

> これから、いくつかの絵を見せます。
> 一度に4つの絵を見せます。それが何度か続きます。
> あとで、何の絵があったかを、
> すべて答えていただきます。よく覚えてください。
> 絵を覚えるためのヒントも出します。
> ヒントを手がかりに覚えるようにしてください。
> 4つの絵を、だいたい1分で覚えていただきます。

アドバイザー

> 今回は パターンC の絵です。

> 絵は手元に問題用紙として配られるのではなく、画面に映したり、検査員が絵の描かれた紙などを持ったりします。

● イラストの記憶（1セット目）

まず、1セット目です。4つの絵が描かれています。検査員が、それぞれの絵の名前とヒントを口頭で以下のように話します。

アドバイザー

> 4つの絵を、ヒントを手がかりにだいたい1分で覚えてください。

> これは、機関銃です。

検査員

> これは、琴です。

検査員

> これは、親指です。

検査員

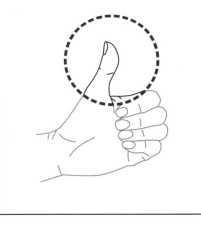

> これは、電子レンジです。

検査員

 ヒント

検査員

> この中に、戦いの武器があります。それは何ですか？　機関銃ですね。
> この中に、楽器があります。それは何ですか？　琴ですね。
> この中に、体の一部があります。それは何ですか？　親指ですね。
> この中に、電気製品があります。それは何ですか？　電子レンジですね。

> 実際の検査では、だいたい1分たったら2セット目にうつるので、ご家庭で行う場合は、1分たったら覚えるのをやめ、2セット目にうつってください。

アドバイザー

● イラストの記憶（2セット目）

アドバイザー

4つの絵を、ヒントを手がかりにだいたい1分で覚えてください。

これは、セミです。

検査員

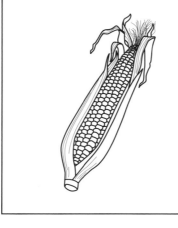 

これは、牛です。

検査員

これは、トウモロコシです。

検査員

これは、ナベです。

検査員

検査員

|ヒント|

検査員

この中に、台所用品があります。それは何ですか？　ナベですね。
この中に、野菜があります。それは何ですか？　トウモロコシですね。
この中に、動物がいます。それは何ですか？　牛ですね。
この中に、昆虫がいます。それは何ですか？　セミですね。

実際の検査では、だいたい1分たったら3セット目にうつるので、ご家庭で行う場合は、1分たったら覚えるのをやめ、3セット目にうつってください。

アドバイザー

● イラストの記憶（3セット目）

アドバイザー

4つの絵を、ヒントを手がかりにだいたい1分で覚えてください。

これは、はさみです。

検査員

これは、トラックです。

検査員

これは、メロンです。

検査員

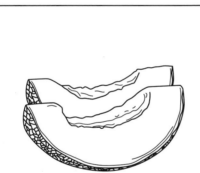

これは、ドレスです。

検査員

第2回テスト　手がかり再生

|ヒント|

検査員

この中に、文房具があります。それは何ですか？　はさみですね。
この中に、乗り物があります。それは何ですか？　トラックですね。
この中に、果物があります。それは何ですか？　メロンですね。
この中に、衣類があります。それは何ですか？　ドレスですね。

実際の検査では、だいたい1分たったら4セット目にうつるので、ご家庭で行う場合は、1分たったら覚えるのをやめ、4セット目にうつってください。

アドバイザー

●イラストの記憶（4セット目）

アドバイザー

4つの絵を、ヒントを手がかりにだいたい1分で覚えてください。

これは、クジャクです。

検査員

これは、チューリップです。

検査員

これは、ドライバーです。

検査員

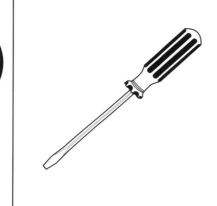

これは、椅子です。

検査員

|ヒント|

検査員

この中に、家具があります。それは何ですか？　椅子ですね。
この中に、大工道具があります。それは何ですか？　ドライバーですね。
この中に、花があります。それは何ですか？　チューリップですね。
この中に、鳥がいます。それは何ですか？　クジャクですね。

だいたい1分たったら、覚える絵はおしまいです。あとで
何の絵があったのかを答えてもらいますので、よく覚えて
おいてください。

アドバイザー

88

②介入課題（指定された数字を消していく）

指定された数字に斜線を引く問題です。

数字は2度、指示があります。

なお、この課題は採点されません。

問　題　用　紙　1

これから、たくさん数字が書かれた表が出ますので、私が指示をした数字に斜線を引いてもらいます。

例えば、「1と4」に斜線を引いてくださいと言ったときは、

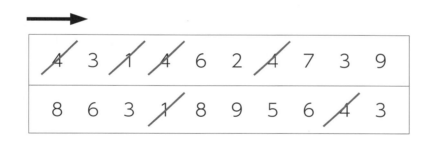

と例示のように順番に、見つけただけ斜線を引いてください。

※指示があるまでめくらないでください。

ご家庭で行う場合は、次ページへ進み「回答用紙1」を始めてください。

アドバイザー

「5と9」に斜線を引いてください。

（30秒で回答）

回答用紙 1

9	3	2	7	5	4	2	4	1	3
3	4	5	2	1	2	7	2	4	6
6	5	2	7	9	6	1	3	4	2
4	6	1	4	3	8	2	6	9	3
2	5	4	5	1	3	7	9	6	8
2	6	5	9	6	8	4	7	1	3
4	1	8	2	4	6	7	1	3	9
9	4	1	6	2	3	2	7	9	5
1	3	7	8	5	6	2	9	8	4
2	5	6	9	1	3	7	4	5	8

※指示があるまでめくらないでください。

続きまして、同じ用紙に、はじめから「3と6と8」に斜線を引いてください。

（30秒で回答）

ご家庭で行う場合は、回答終了後、「問題用紙2」に進んでください。

❸ 自由回答 （先ほど見た16の絵の名称を ヒントなしで答える）

数字を消す問題の前に見せられた絵を答える問題です。記憶をたどって、何の絵があったのかを思い出してみましょう。

回答時間 **3**分

問　題　用　紙　2

少し前に、何枚かの絵をお見せしました。

何が描かれていたのかを思い出して、できるだけ全部書いてください。

※指示があるまでめくらないでください。

ご家庭で行う場合は、次ページへ進み「回答用紙2」を始めてください。

アドバイザー

回答用紙 2

1.	9.
2.	10.
3.	11.
4.	12.
5.	13.
6.	14.
7.	15.
8.	16.

※指示があるまでめくらないでください。

ご家庭で行う場合は、3分たったら記入をやめて、「問題用紙3」に進んでください。

・「漢字」でも「カタカナ」でも「ひらがな」でもかまいません。
・見せられたイラストの順番でなくてもかまいません。
・間違えた場合は、二重線を引いて訂正してください。

アドバイザー

❹手がかり回答 （先ほど見た16の絵の名称をヒントを手がかりに答える）

絵の名前を答えるのは「自由回答」と同じですが、今度はヒントを手がかりに、何の絵があったのかを思い出してみましょう。

回答時間 **3**分

問 題 用 紙 3

今度は回答用紙に、ヒントが書いてあります。

それを手がかりに、もう一度、何が描かれていたのかを思い出して、できるだけ全部書いてください。

※指示があるまでめくらないでください。

ご家庭で行う場合は、次ページへ進み「回答用紙3」を始めてください。

アドバイザー

第2回テスト　手がかり再生

回答用紙 3

1. 戦いの武器	9. 文房具
2. 楽器	10. 乗り物
3. 体の一部	11. 果物
4. 電気製品	12. 衣類
5. 昆虫	13. 鳥
6. 動物	14. 花
7. 野菜	15. 大工道具
8. 台所用品	16. 家具

※指示があるまでめくらないでください。

ご家庭で行う場合は、3分たったら記入をやめて、「問題用紙4」に進んでください。

・「漢字」でも「カタカナ」でも「ひらがな」でもかまいません。
・それぞれのヒントに対して回答は1つだけです。2つ以上は書かないでください。
・間違えた場合は、二重線を引いて訂正してください。

アドバイザー

問題2 時間の見当識 (けんとうしき)

検査が行われる年月日、曜日、時刻を回答する問題です。
問題用紙の問題を読み、回答用紙に記入します。

回答時間
2分

問 題 用 紙 4

この検査には、5つの質問があります。

左側に質問が書いてありますので、それぞれの質問に対する答を右側の回答欄に記入してください。

答が分からない場合には、自信がなくても良いので思ったとおりに記入してください。空欄とならないようにしてください。

※指示があるまでめくらないでください。

アドバイザー

ご家庭で行う場合は、次ページへ進み「回答用紙4」に記入してください。

回答用紙 4

以下の質問にお答えください。

質問	回答
今年は何年ですか？	年
今月は何月ですか？	月
今日は何日ですか？	日
今日は何曜日ですか？	曜日
今は何時何分ですか？	時 分

アドバイザー

よくわからない場合でも、できるだけ何らかの答えを記入してください。ご家庭で行う場合は、2分たったら記入をやめてください。これで認知機能検査は終了です。

自由回答【解答一覧】

回 答 用 紙 2

1. 機関銃	9. はさみ
2. 琴	10. トラック
3. 親指	11. メロン
4. 電子レンジ	12. ドレス
5. セミ	13. クジャク
6. 牛	14. チューリップ
7. トウモロコシ	15. ドライバー
8. ナベ	16. 椅子

※指示があるまでめくらないでください。

手がかり回答 【解答一覧】

回 答 用 紙 3

1. 戦いの武器 機関銃	9. 文房具 はさみ
2. 楽器 琴	10. 乗り物 トラック
3. 体の一部 親指	11. 果物 メロン
4. 電気製品 電子レンジ	12. 衣類 ドレス
5. 昆虫 セミ	13. 鳥 クジャク
6. 動物 牛	14. 花 チューリップ
7. 野菜 トウモロコシ	15. 大工道具 ドライバー
8. 台所用品 ナベ	16. 家具 椅子

※指示があるまでめくらないでください。

カンタン採点表

 60〜61ページのSTEP 1〜5を読んで回答用紙2・3に○をつけていきましょう。

STEP 6 回答用紙2（STEP 2）で正解した数（○をつけたところ）を数えて得点を出しましょう

2点 × [ ] = 計 A [ ] 点
(配点)　　(正解数)　　　(得点)

STEP 7 回答用紙3（STEP 5）で正解した数（○をつけたところ）を数えて得点を出しましょう

1点 × [ ] = 計 B [ ] 点
(配点)　　(正解数)　　　(得点)

STEP 8 AとBを合計しましょう

A [ ]点 + B [ ]点 = 計 C [ ]点

STEP 9 時間の見当識を採点しましょう

質問	配点	得点
何年	5点	
何月	4点	
何日	3点	
何曜日	2点	
何時何分	1点	
合 計 点		

計 D [ ] 点

STEP 10 STEP8、STEP9の点数に指数をかけて総合点を出しましょう

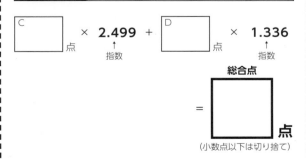

C [ ]点 × **2.499** + D [ ]点 × **1.336**
　　　　　　↑指数　　　　　　　　↑指数

総合点
= [ ] 点
(小数点以下は切り捨て)

・「手がかり再生（介入課題）」の問題は採点しませんので、答えは割愛します。
・「時間の見当識」の問題はテストを行った年月日、曜日、時刻で採点してください。

問題1　手がかり再生

手がかり再生は、16の絵を順次見て、あとで答える検査です。絵を見てから答える間に、指定の数字に斜線を引く「介入課題」があります。

1 イラストの記憶

まず、絵を4枚1セットで約1分見ます。
これを4セット行い、合計16枚の絵を覚えます。

検査員

> これから、いくつかの絵を見せます。
> 一度に4つの絵を見せます。それが何度か続きます。
> あとで、何の絵があったかを、
> すべて答えていただきます。よく覚えてください。
> 絵を覚えるためのヒントも出します。
> ヒントを手がかりに覚えるようにしてください。
> 4つの絵を、だいたい1分で覚えていただきます。

アドバイザー

> 今回は パターンD の絵です。

> 絵は手元に問題用紙として配られるのではなく、画面に映したり、検査員が絵の描かれた紙などを持ったりします。

● イラストの記憶（1セット目）

まず、1セット目です。4つの絵が描かれています。検査員が、それぞれの絵の名前とヒントを口頭で以下のように話します。

アドバイザー

> 4つの絵を、ヒントを手がかりにだいたい1分で覚えてください。

検査員

> これは、刀です。

検査員

> これは、アコーディオンです。

検査員

> これは、足です。

検査員

> これは、テレビです。

|ヒント|

検査員

> この中に、戦いの武器があります。それは何ですか？　刀ですね。
> この中に、楽器があります。それは何ですか？　アコーディオンですね。
> この中に、体の一部があります。それは何ですか？　足ですね。
> この中に、電気製品があります。それは何ですか？　テレビですね。

> 実際の検査では、だいたい1分たったら2セット目にうつるので、ご家庭で行う場合は、1分たったら覚えるのをやめ、2セット目にうつってください。

アドバイザー

● イラストの記憶（2セット目）

アドバイザー

4つの絵を、ヒントを手がかりにだいたい1分で覚えてください。

これは、カブトムシです。

検査員

これは、馬です。

検査員

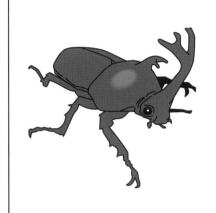

これは、カボチャです。

検査員

これは、包丁です。

検査員

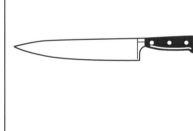

ヒント

検査員

この中に、台所用品があります。それは何ですか？　包丁ですね。
この中に、野菜があります。それは何ですか？　カボチャですね。
この中に、動物がいます。それは何ですか？　馬ですね。
この中に、昆虫がいます。それは何ですか？　カブトムシですね。

実際の検査では、だいたい1分たったら3セット目にうつるので、ご家庭で行う場合は、1分たったら覚えるのをやめ、3セット目にうつってください。

アドバイザー

● イラストの記憶（3セット目）

アドバイザー

4つの絵を、ヒントを手がかりにだいたい1分で覚えてください。

これは、
筆です。

検査員

これは、
パイナップル
です。

検査員

これは、
ヘリコプター
です。

検査員

これは、
ズボンです。

検査員

ヒント

検査員

この中に、文房具があります。それは何ですか？　筆ですね。
この中に、乗り物があります。それは何ですか？　ヘリコプターですね。
この中に、果物があります。それは何ですか？　パイナップルですね。
この中に、衣類があります。それは何ですか？　ズボンですね。

実際の検査では、だいたい1分たったら4セット目にうつ
るので、ご家庭で行う場合は、1分たったら覚えるのをや
め、4セット目にうつってください。

アドバイザー

●イラストの記憶（4セット目）

アドバイザー

4つの絵を、ヒントを手がかりにだいたい1分で覚えてください。

これは、スズメです。

検査員

これは、ノコギリです。

検査員

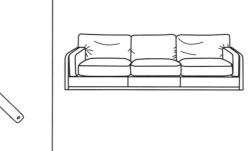

これは、ヒマワリです。

検査員

これは、ソファーです。

検査員

ヒント

検査員

この中に、家具があります。それは何ですか？　ソファーですね。
この中に、大工道具があります。それは何ですか？　ノコギリですね。
この中に、花があります。それは何ですか？　ヒマワリですね。
この中に、鳥がいます。それは何ですか？　スズメですね。

だいたい1分たったら、覚える絵はおしまいです。あとで何の絵があったのかを答えてもらいますので、よく覚えておいてください。

アドバイザー

❷介入課題（指定された数字を消していく）

指定された数字に斜線を引く問題です。
数字は2度、指示があります。
なお、この課題は採点されません。

回答時間
指示があってから
30秒
（1・2回目ともに）

問 題 用 紙 1

　これから、たくさん数字が書かれた表が出ますので、私が指示をした数字に斜線を引いてもらいます。
　例えば、「1と4」に斜線を引いてくださいと言ったときは、

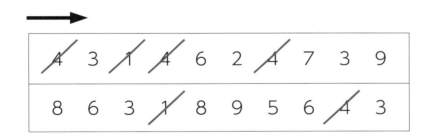

と例示のように順番に、見つけただけ斜線を引いてください。

※指示があるまでめくらないでください。

ご家庭で行う場合は、次ページへ進み「回答用紙1」を始めてください。

アドバイザー

「4 と 8」に斜線を引いてください。

（30秒で回答）

回 答 用 紙 1

9	3	2	7	5	4	2	4	1	3
3	4	5	2	1	2	7	2	4	6
6	5	2	7	9	6	1	3	4	2
4	6	1	4	3	8	2	6	9	3
2	5	4	5	1	3	7	9	6	8
2	6	5	9	6	8	4	7	1	3
4	1	8	2	4	6	7	1	3	9
9	4	1	6	2	3	2	7	9	5
1	3	7	8	5	6	2	9	8	4
2	5	6	9	1	3	7	4	5	8

※指示があるまでめくらないでください。

続きまして、同じ用紙に、はじめから「1と7と9」に斜線を引いてください。

（30秒で回答）

ご家庭で行う場合は、回答終了後、「問題用紙2」に進んでください。

❸自由回答 （先ほど見た16の絵の名称を
ヒントなしで答える）

数字を消す問題の前に見せられた絵を答える問題です。記憶をたどって、何の絵が
あったのかを思い出して書いてみましょう。

回答時間
3分

問　題　用　紙　2

少し前に、何枚かの絵をお見せ
しました。

何が描かれていたのかを思い出
して、できるだけ全部書いてくだ
さい。

※指示があるまでめくらないでください。

アドバイザー

> ご家庭で行う場合は、次ページへ進み「回答用紙2」を始めてく
> ださい。

回 答 用 紙 2

1.	9.
2.	10.
3.	11.
4.	12.
5.	13.
6.	14.
7.	15.
8.	16.

※指示があるまでめくらないでください。

ご家庭で行う場合は、3分たったら記入をやめて、「問題用紙3」に進んでください。

・「漢字」でも「カタカナ」でも「ひらがな」でもかまいません。
・見せられたイラストの順番でなくてもかまいません。
・間違えた場合は、二重線を引いて訂正してください。

アドバイザー

④ 手がかり回答 （先ほど見た16の絵の名称を ヒントを手がかりに答える）

絵の名前を答えるのは「自由回答」と同じですが、今度はヒントを手がかりに、何の絵があったのかを思い出してみましょう。

回答時間
3分

問題用紙3

　今度は回答用紙に、ヒントが書いてあります。

　それを手がかりに、もう一度、何が描かれていたのかを思い出して、できるだけ全部書いてください。

　※指示があるまでめくらないでください。

ご家庭で行う場合は、次ページへ進み「回答用紙3」を始めてください。

アドバイザー

回答用紙 3

1. 戦いの武器	9. 文房具
2. 楽器	10. 乗り物
3. 体の一部	11. 果物
4. 電気製品	12. 衣類
5. 昆虫	13. 鳥
6. 動物	14. 花
7. 野菜	15. 大工道具
8. 台所用品	16. 家具

※指示があるまでめくらないでください。

ご家庭で行う場合は、3分たったら記入をやめて、「問題用紙4」に進んでください。

・「漢字」でも「カタカナ」でも「ひらがな」でもかまいません。
・それぞれのヒントに対して回答は1つだけです。2つ以上は書かないでください。
・間違えた場合は、二重線を引いて訂正してください。

アドバイザー

問題2　時間の見当識

検査が行われる年月日、曜日、時刻を回答する問題です。
問題用紙の問題を読み、回答用紙に記入します。

回答時間
2分

問 題 用 紙 4

　この検査には、5つの質問があります。

　左側に質問が書いてありますので、それぞれの質問に対する答を右側の回答欄に記入してください。

　答が分からない場合には、自信がなくても良いので思ったとおりに記入してください。空欄とならないようにしてください。

※指示があるまでめくらないでください。

アドバイザー

ご家庭で行う場合は、次ページへ進み「回答用紙4」に記入してください。

回答用紙 4

以下の質問にお答えください。

質問	回答
今年は何年ですか？	年
今月は何月ですか？	月
今日は何日ですか？	日
今日は何曜日ですか？	曜日
今は何時何分ですか？	時　分

アドバイザー

よくわからない場合でも、できるだけ何らかの答えを記入してください。ご家庭で行う場合は、2分たったら記入をやめてください。これで認知機能検査は終了です。

自由回答【解答一覧】

回 答 用 紙 2

1. 刀	9. 筆
2. アコーディオン	10. ヘリコプター
3. 足	11. パイナップル
4. テレビ	12. ズボン
5. カブトムシ	13. スズメ
6. 馬	14. ヒマワリ
7. カボチャ	15. ノコギリ
8. 包丁	16. ソファー

※指示があるまでめくらないでください。

手がかり回答【解答一覧】

回 答 用 紙 3

1. 戦いの武器 刀	9. 文房具 筆
2. 楽器 アコーディオン	10. 乗り物 ヘリコプター
3. 体の一部 足	11. 果物 パイナップル
4. 電気製品 テレビ	12. 衣類 ズボン
5. 昆虫 カブトムシ	13. 鳥 スズメ
6. 動物 馬	14. 花 ヒマワリ
7. 野菜 カボチャ	15. 大工道具 ノコギリ
8. 台所用品 包丁	16. 家具 ソファー

※指示があるまでめくらないでください。

カンタン採点表

 60〜61ページのSTEP 1〜5を読んで回答用紙2・3に○をつけていきましょう。

STEP 6 回答用紙2（STEP 2）で正解した数（○をつけたところ）を数えて得点を出しましょう

$$2_{点（配点）} \times \boxed{}_{（正解数）} = \boxed{}^{計 A}_{（得点）点}$$

STEP 7 回答用紙3（STEP 5）で正解した数（○をつけたところ）を数えて得点を出しましょう

$$1_{点（配点）} \times \boxed{}_{（正解数）} = \boxed{}^{計 B}_{（得点）点}$$

STEP 8 AとBを合計しましょう

$$\boxed{}^{A}_{点} + \boxed{}^{B}_{点} = \boxed{}^{計 C}_{点}$$

STEP 9 時間の見当識を採点しましょう

質問	配点	得点
何年	5点	
何月	4点	
何日	3点	
何曜日	2点	
何時何分	1点	
合計点		

$$\boxed{}^{計 D}_{点}$$

STEP 10 STEP8、STEP9の点数に指数をかけて総合点を出しましょう

$$\boxed{}^{C}_{点} \times 2.499_{↑指数} + \boxed{}^{D}_{点} \times 1.336_{↑指数}$$

総合点

$$= \boxed{}_{点}$$

（小数点以下は切り捨て）

・「手がかり再生（介入課題）」の問題は採点しませんので、答えは割愛します。
・「時間の見当識」の問題はテストを行った年月日、曜日、時刻で採点してください。

●**著者**

長　信一（ちょう　しんいち）

1962 年、東京都生まれ。1983 年、都内の自動車教習所に入所。1986 年、運転免許証の全種類を完全取得。指導員として多数の合格者を送り出すかたわら、所長代理を歴任。現在、「自動車運転免許研究所」の所長として、書籍や雑誌の執筆を中心に活躍中。『フリガナつき！ 普通免許ラクラク合格問題集』『いきなり合格！ 普通免許テキスト＆速攻問題集』『完全合格！ 普通免許 2000 問実戦問題集』『1 回で合格！ 第二種免許完全攻略問題集』（いずれも弊社刊）など、著書は 200 冊を超える。

●**監修者**

赤畑 正樹（あかはた まさき）

認知症サポート医。医療法人社団 細田診療所院長。出身は脳神経外科。東邦大学医学部卒業。東邦大学大橋病院脳神経外科、同大学大学院、慶應大学先端医科学研究所遺伝子制御部門への国内留学を経て、細田診療所院長に就任、現在に至る。葛飾区認知症対策委員会副委員長。日本認知症予防学会専門医、産業医、プライマリーケア認定医、前葛飾区医師会在宅医療・認知症担当理事。脳神経外科学会、日本認知症予防学会、脳卒中外科学会、日本内科学会、プライマリーケア学会所属。

●**本文デザイン**	スパイス（佐藤 ひろみ）
●**コママンガ・イラスト**	岡田 行生
●**イラスト**	風間 康志・すずき 匠
●**編集協力**	ノーム（間瀬 直道）
●**企画・編集**	成美堂出版編集部（原田 洋介・芳賀 篤史）

いちばんわかりやすい 運転免許認知機能検査対策ブック

2022年 7 月20日発行

著　者	長 信一
監　修	赤畑正樹
発行者	深見公子
発行所	成美堂出版
	〒162-8445　東京都新宿区新小川町 1-7
	電話(03)5206-8151　FAX(03)5206-8159
印　刷	大盛印刷株式会社